#교과서×사고력
#게임하듯공부해
#스티커게임?리얼공부!

Go! 매쓰
초등 수학

저자 김보미

- 네이버 대표카페 '성공하는 공부방 운영하기' 운영자
- '미래엔', '메가스터디', '천재교육' 교재 기획 및 집필
- 전국 1,000개 이상의 공부방/선생님 컨설팅 및 교육
- 현재 〈GO! 매쓰〉 수학 공부방 운영

Chunjae Makes Chunjae

기획총괄 김안나
편집개발 이근우, 김정희, 서진호, 한인숙, 최수정, 김혜민, 박웅
디자인총괄 김희정
표지디자인 윤순미
내지디자인 박희춘, 이혜미
제작 황성진, 조규영

발행일 2021년 1월 15일 2판 2022년 2월 15일 2쇄
발행인 (주)천재교육
주소 서울시 금천구 가산로9길 54
신고번호 제2001-000018호
고객센터 1577-0902
교재 구입 문의 1522-5566

※ 정답 분실 시에는 천재교육 홈페이지에서 내려받으세요.
※ KC 마크는 이 제품이 공통안전기준에 적합하였음을 의미합니다.
※ 주의
책 모서리에 다칠 수 있으니 주의하시기 바랍니다.
부주의로 인한 사고의 경우 책임지지 않습니다.
8세 미만의 어린이는 부모님의 관리가 필요합니다.

교과서 GO! 사고력 GO!

GO! 매쓰

Run-B

교과서 사고력

수학 5-1

구성과 특징

1주차 교과 집중 학습

1 교과서 개념 완성

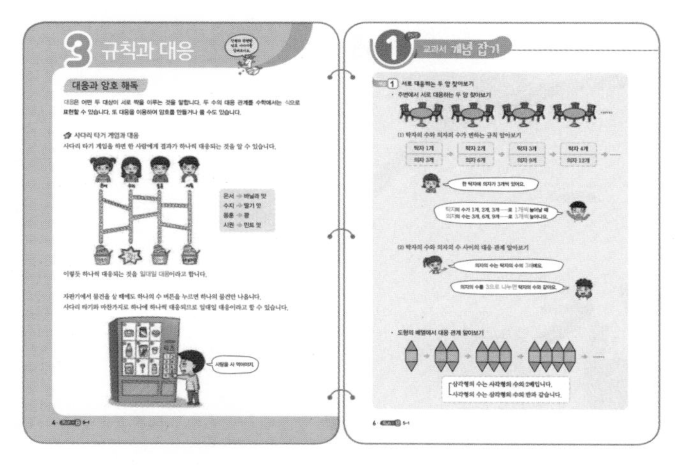

재미있는 수학 이야기로 단원에 대한 흥미를 높이고, 교과서 개념과 기본 문제를 학습합니다.

2 교과서 개념 PLAY

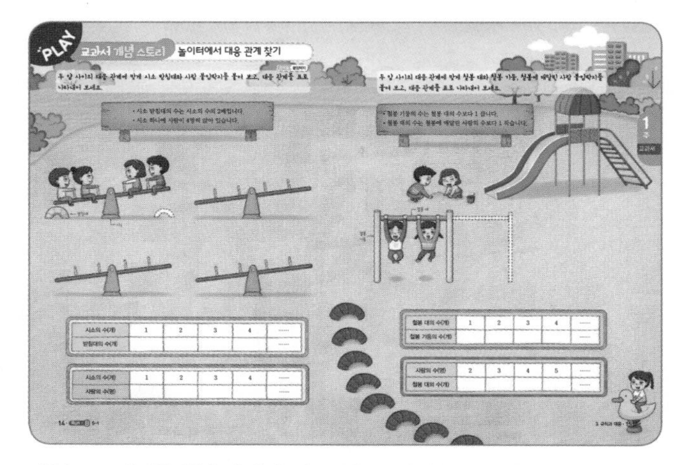

게임으로 개념을 학습하면서 집중력을 높여 쉽게 개념을 익히고 기본을 탄탄하게 만듭니다.

3 문제 풀이로 실력 & 자신감 UP!

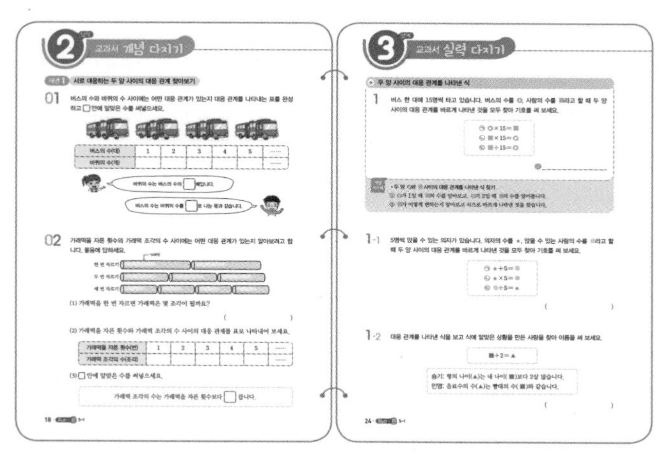

한 단계 더 나아간 교과서와 익힘 문제로 개념을 완성하고, 다양한 문제 유형으로 응용력을 키웁니다.

4 서술형 문제 풀이

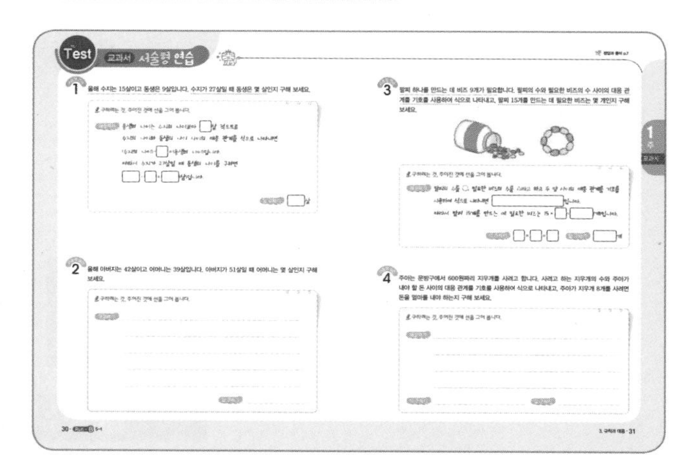

시험에 잘 나오는 서술형 문제 중심으로 단계별로 풀이하는 연습을 하여 서술하는 힘을 높여 줍니다.

교과 + 사고력

2주에 한 단원 완성!

2 주차 사고력 확장 학습

1 사고력 PLAY

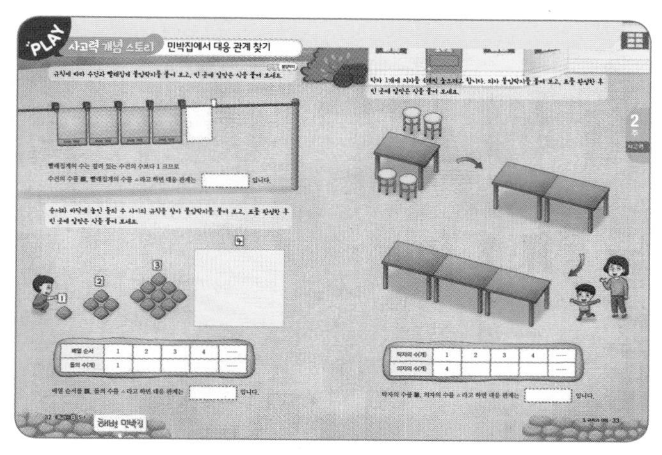

교과 심화 문제와 사고력 문제를 게임으로 쉽게 접근하여 어려운 문제에 대한 거부감을 낮추고 집중력을 높입니다.

2 교과 사고력 잡기

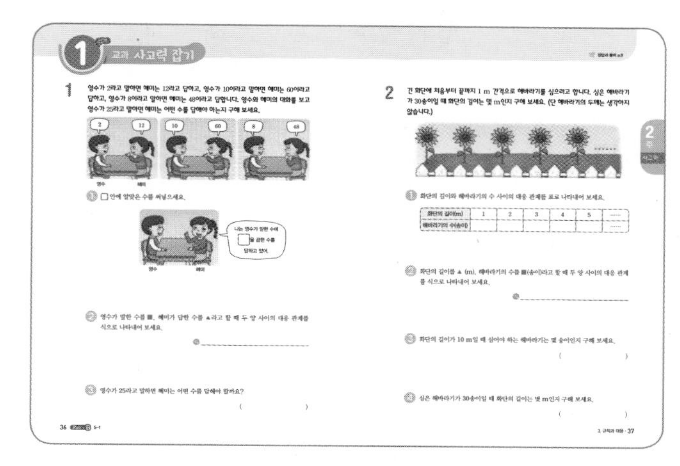

문제에 필요한 요소를 찾아 단계별로 해결하면서 문제 해결력을 키울 수 있는 힘을 기릅니다.

3 교과 사고력 확장 + 완성

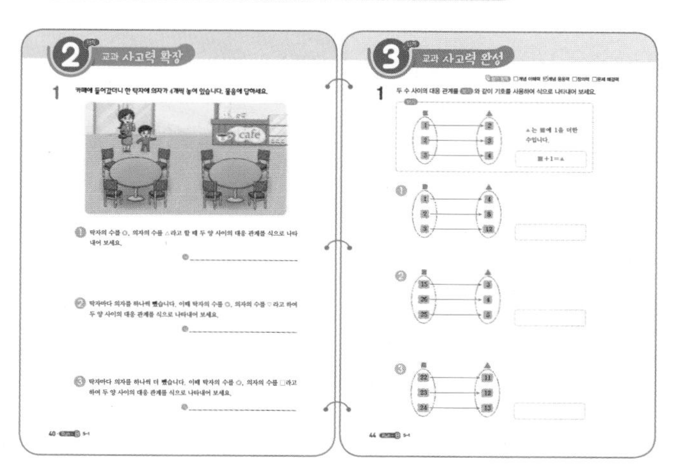

틀에서 벗어난 생각을 하여 문제를 해결하는 창의적 사고력을 기를 수 있는 힘을 기릅니다.

4 종합평가 / 특강

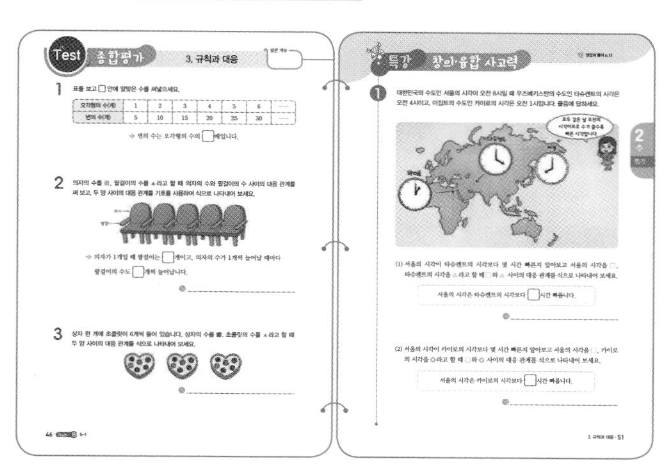

교과 학습과 사고력 학습을 얼마나 잘 이해하였는지 평가하여 배운 내용을 정리합니다.

3 규칙과 대응

단원과 관련된
암호 이야기를
살펴보아요.

대응과 암호 해독

대응은 어떤 두 대상이 서로 짝을 이루는 것을 말합니다. 두 수의 대응 관계를 수학에서는 식으로 표현할 수 있습니다. 또 대응을 이용하여 암호를 만들거나 풀 수도 있습니다.

☆ 사다리 타기 게임과 대응

사다리 타기 게임을 하면 한 사람에게 결과가 하나씩 대응되는 것을 알 수 있습니다.

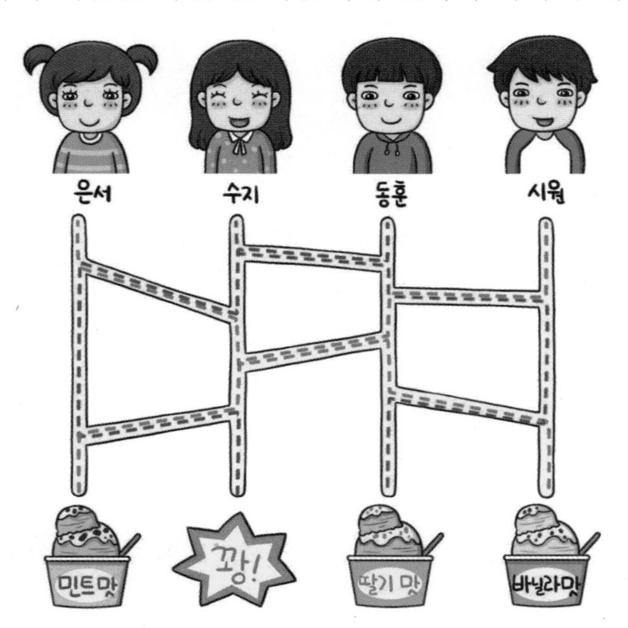

은서 → 바닐라 맛
수지 → 딸기 맛
동훈 → 꽝
시원 → 민트 맛

이렇듯 하나씩 대응되는 것을 일대일 대응이라고 합니다.

자판기에서 물건을 살 때에도 하나의 수 버튼을 누르면 하나의 물건만 나옵니다.
사다리 타기와 마찬가지로 하나에 하나씩 대응되므로 일대일 대응이라고 할 수 있습니다.

암호*해독

*해독: 어려운 문구 따위를 읽어 이해하거나 해석함.

알파벳 26개의 문자로 암호를 만들 수 있습니다. 암호 해독표를 보고 알파벳과 암호의 글자를 각각 하나씩 대응시키면 암호를 풀 수 있습니다.

다음은 옛날 로마의 황제 카이사르가 사용한 암호입니다.

EH FDUHIXO IRU DVVDVVLQ

기존의 알파벳의 순서를 3칸씩 이동시켜 만든 것으로 표로 만들어 보면 다음과 같습니다.

암호 해독표

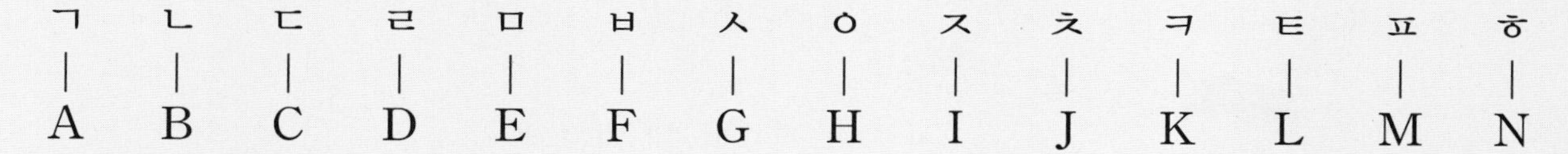

기존	A	B	C	D	E	F	G	H	I	J	K	L	M	N	O	P	Q	R	S	T	U	V	W	X	Y	Z
암호	D	E	F	G	H	I	J	K	L	M	N	O	P	Q	R	S	T	U	V	W	X	Y	Z	A	B	C

암호의 글자를 기존의 알파벳으로 바꾸면 E는 B로, H는 E로 바꿀 수 있습니다. 전체를 모두 바꾸면 'BE CAREFUL FOR ASSASSIN'으로 암살자를 조심하라는 뜻입니다.

한글을 알파벳과 대응시켜서 암호를 만들어 볼까요?
한글의 자음을 순서대로 적은 다음 순서대로 알파벳을 대응시키고,

ㄱ	ㄴ	ㄷ	ㄹ	ㅁ	ㅂ	ㅅ	ㅇ	ㅈ	ㅊ	ㅋ	ㅌ	ㅍ	ㅎ
|	|	|	|	|	|	|	|	|	|	|	|	|	|
A	B	C	D	E	F	G	H	I	J	K	L	M	N

한글의 모음을 순서대로 적은 다음 순서대로 나머지 알파벳을 대응시킵니다.

ㅏ	ㅑ	ㅓ	ㅕ	ㅗ	ㅛ	ㅜ	ㅠ	ㅡ	ㅣ
|	|	|	|	|	|	|	|	|	|
O	P	Q	R	S	T	U	V	W	X

그러면 '반가워'는 ㅂ ㅏ ㄴ ㄱ ㅏ ㅇ ㅜ ㅓ → FOBAOHUQ가 됩니다.

위와 같이 한글과 알파벳을 대응시켜 만든 암호입니다. 암호를 해독해 보세요.

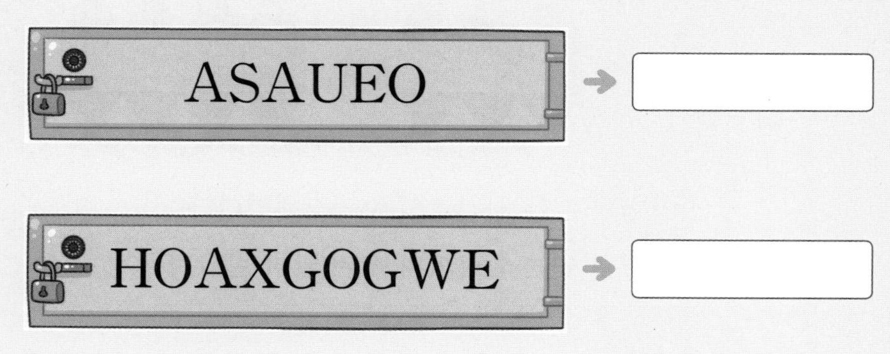

1 단계 교과서 개념 잡기

개념 1 서로 대응하는 두 양 찾아보기

- 주변에서 서로 대응하는 두 양 찾아보기

(1) 탁자의 수와 의자의 수가 변하는 규칙 알아보기

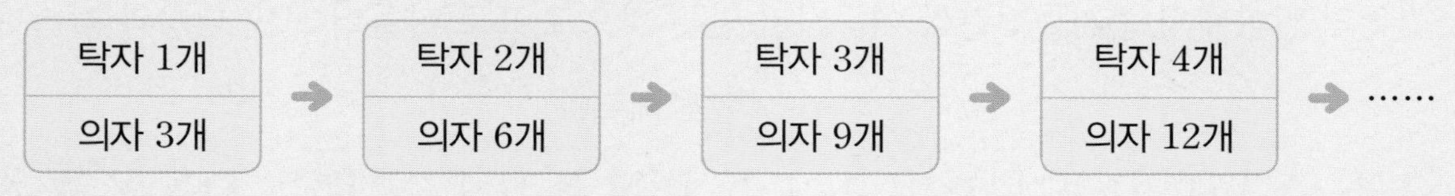

한 탁자에 의자가 3개씩 있어요.

탁자의 수가 1개, 2개, 3개......로 1개씩 늘어날 때
의자의 수는 3개, 6개, 9개......로 3개씩 늘어나요.

(2) 탁자의 수와 의자의 수 사이의 대응 관계 알아보기

의자의 수는 탁자의 수의 3배예요.

의자의 수를 3으로 나누면 탁자의 수와 같아요.

- 도형의 배열에서 대응 관계 알아보기

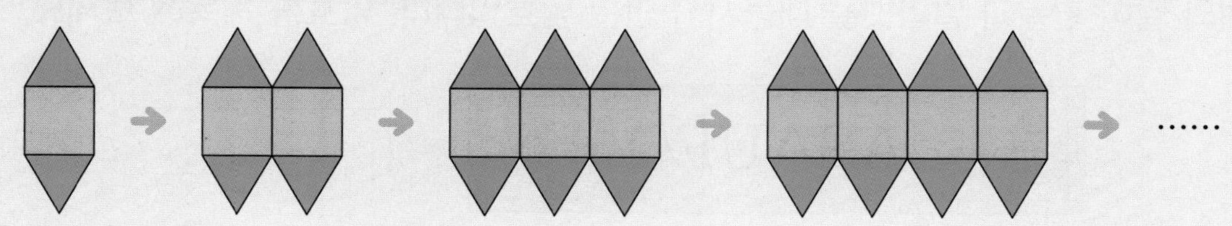

삼각형의 수는 사각형의 수의 2배입니다.
사각형의 수는 삼각형의 수의 반과 같습니다.

1-1 네발자전거의 수와 바퀴의 수 사이에는 어떤 대응 관계가 있는지 □ 안에 알맞은 수를 써넣으세요.

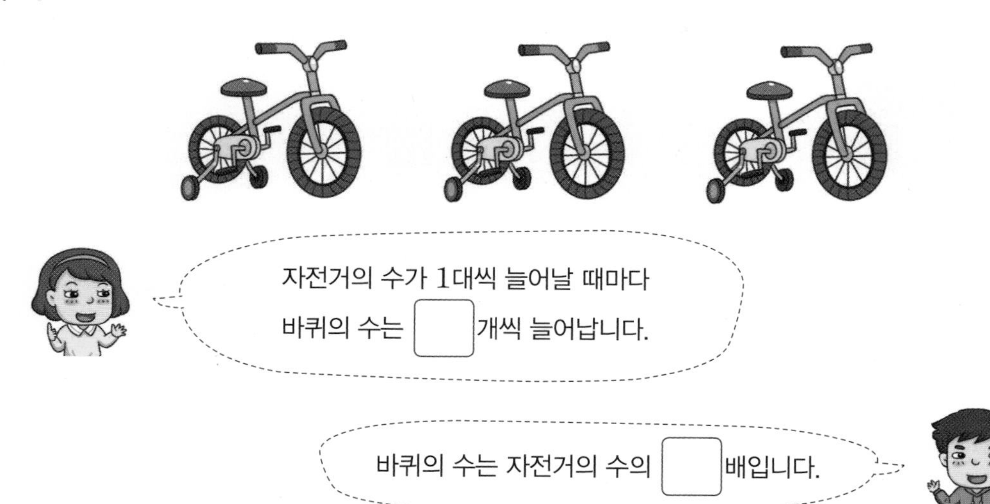

자전거의 수가 1대씩 늘어날 때마다
바퀴의 수는 □개씩 늘어납니다.
바퀴의 수는 자전거의 수의 □배입니다.

1-2 도형의 배열을 보고 물음에 답하세요.

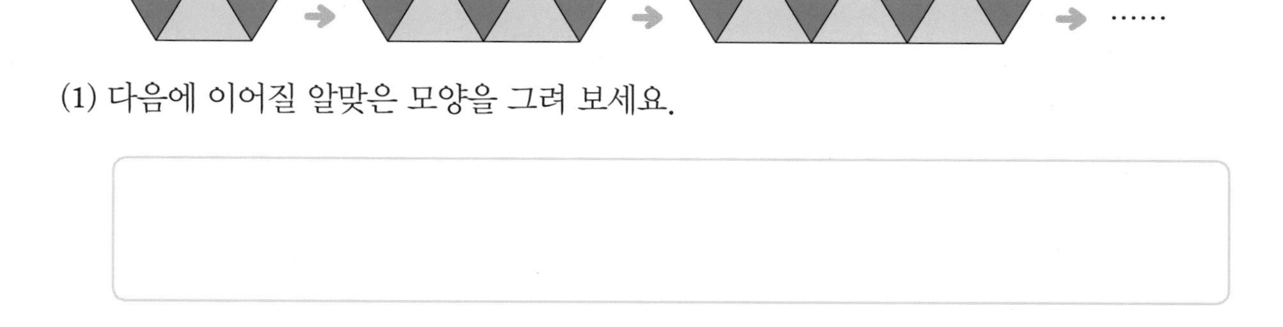

(1) 다음에 이어질 알맞은 모양을 그려 보세요.

(2) 노란색 사각형의 수와 파란색 삼각형의 수 사이에는 어떤 대응 관계가 있는지 □ 안에 알맞은 수를 써넣으세요.

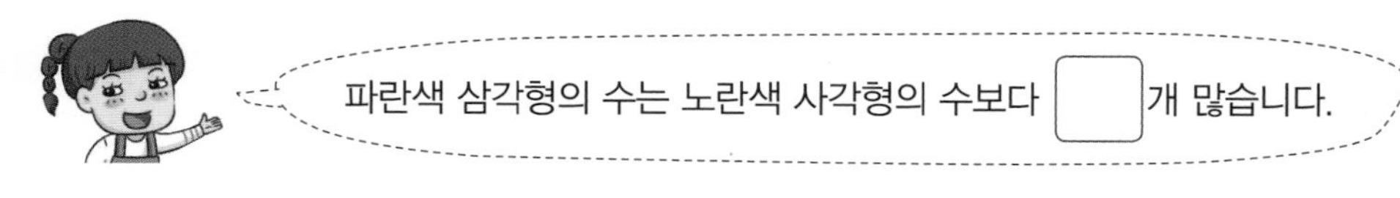

파란색 삼각형의 수는 노란색 사각형의 수보다 □개 많습니다.

(3) 노란색 사각형의 수와 파란색 삼각형의 수 사이의 대응 관계를 생각하며 □ 안에 알맞은 수를 써넣으세요.

노란색 사각형이 8개일 때 파란색 삼각형은 □개입니다.

개념 2 두 양 사이의 대응 관계 알아보기

• 규칙적인 배열에서 대응 관계 알아보기

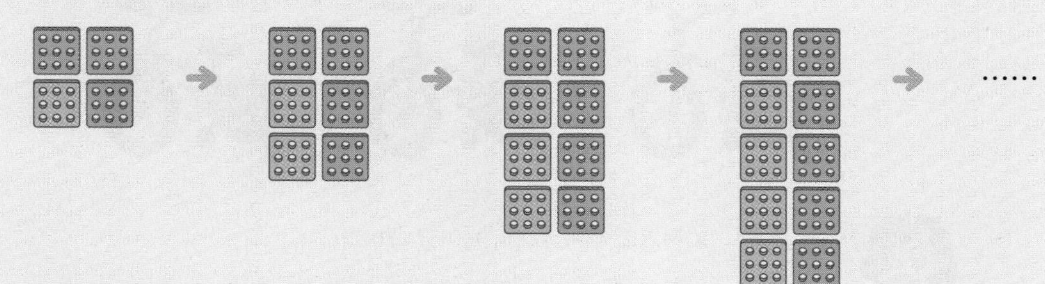

(1) 초록색 사각판과 빨간색 사각판의 배열이 변하는 규칙 알아보기

위에 있는 빨간색 사각판 2개는 변하지 않고,
그 아래에 있는 초록색 사각판과 빨간색 사각판의 수가 각각 1개씩 늘어납니다.

(2) 초록색 사각판의 수와 빨간색 사각판의 수 사이의 대응 관계를 표를 이용하여 알아보기

초록색 사각판의 수(개)	1	2	3	4	……
빨간색 사각판의 수(개)	3 (1+2)	4 (2+2)	5 (3+2)	6 (4+2)	……

변하는 수 / 변하지 않는 수

초록색 사각판의 수가 1개, 2개, 3개……로 늘어나고,
빨간색 사각판의 수가 3개, 4개, 5개……로 늘어나요.

(3) 초록색 사각판의 수와 빨간색 사각판의 수 사이의 대응 관계 알아보기

대응 관계
- 초록색 사각판의 수는 빨간색 사각판의 수보다 2개 적습니다.
- 빨간색 사각판의 수는 초록색 사각판의 수보다 2개 많습니다.

(4) 초록색 사각판이 10개일 때 빨간색 사각판의 수 알아보기

빨간색 사각판의 수는 초록색 사각판의 수보다 2개 많으므로
초록색 사각판이 10개이면 빨간색 사각판은 10+2=12(개)입니다.

개념 확인 문제

정답과 풀이 p.2

2-1 사각형과 원으로 규칙적인 배열을 만들고 있습니다. 물음에 답하세요.

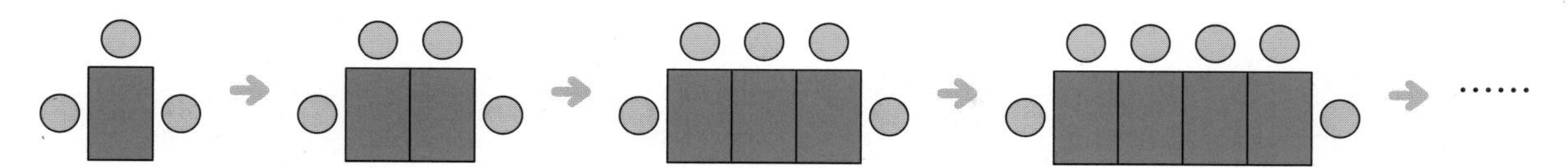

(1) 사각형의 수와 원의 수가 어떻게 변하는지 살펴보고 표를 완성해 보세요.

사각형(■)의 수(개)	1	2	3	4	……
원(○)의 수(개)					……

(2) 사각형이 7개일 때 원은 몇 개 필요할까요?

( )

(3) 사각형의 수와 원의 수 사이의 대응 관계를 바르게 설명한 사람은 누구일까요?

원의 수는 사각형의 수의 2배입니다.
민기

사각형의 수는 원의 수보다 2개 적습니다.
윤하

원의 수는 사각형의 수보다 1개 많습니다.
서희

( )

2-2 피자의 수와 피자 조각의 수 사이에는 어떤 대응 관계가 있는지 알아보려고 합니다. 표를 완성하고 □ 안에 알맞은 수를 써넣으세요.

……

피자의 수(판)	1	2	3	4	……
피자 조각의 수(개)					……

(1) 피자 조각의 수는 피자의 수의 □배입니다.

(2) 피자가 5판이면 피자 조각은 □개입니다.

개념 3 대응 관계를 식으로 나타내기

• 버스 정류장 지붕의 수와 의자의 수 사이의 대응 관계를 식으로 나타내기

(1) 버스 정류장 지붕의 수와 의자의 수 사이의 대응 관계를 표를 이용하여 알아보기

지붕의 수(개)	1	2	3	4	......
의자의 수(개)	5	10	15	20	......

지붕의 수가 1개씩 늘어날 때, 의자의 수는 5개씩 늘어나요.

(2) 버스 정류장 지붕의 수와 의자의 수 사이의 대응 관계 알아보기

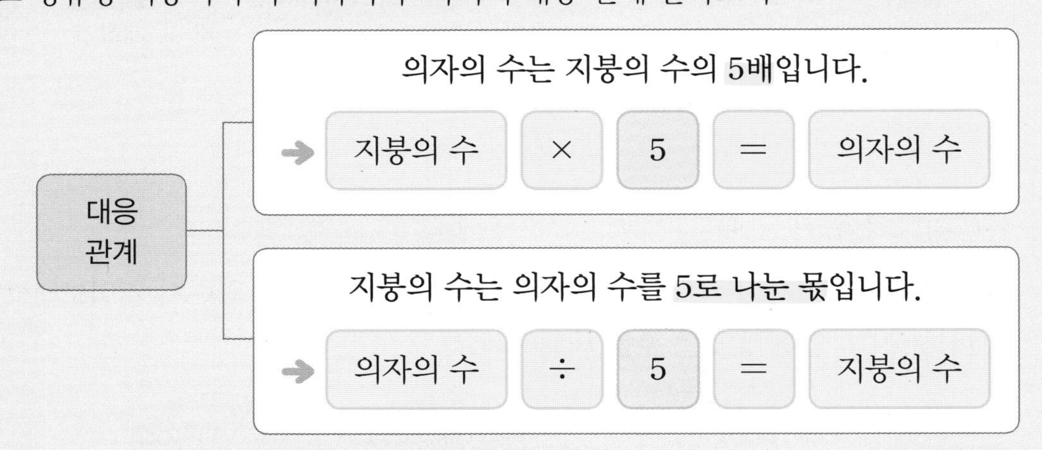

대응 관계
의자의 수는 지붕의 수의 5배입니다.
→ 지붕의 수 × 5 = 의자의 수
지붕의 수는 의자의 수를 5로 나눈 몫입니다.
→ 의자의 수 ÷ 5 = 지붕의 수

(3) 지붕의 수를 ●, 의자의 수를 ■라 할 때 ●와 ■ 사이의 대응 관계를 식으로 나타내기

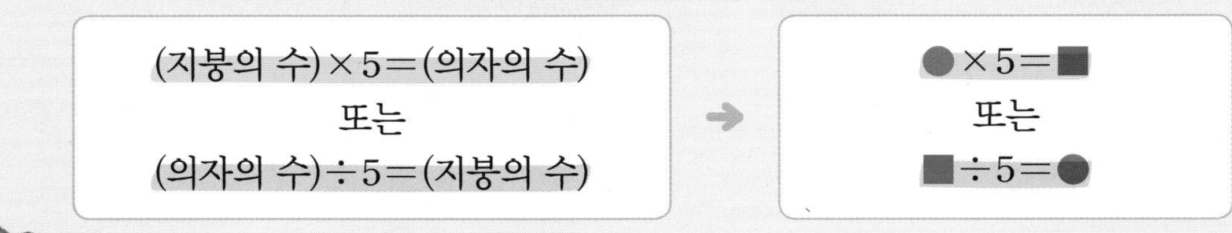

두 양 사이의 대응 관계를 식으로 간단하게 나타낼 때는
각 양을 ●, ■, ▲, ★ 등과 같은 기호로 표현할 수 있습니다.

(4) 지붕의 수가 5개이면 의자의 수는 $5 \times 5 = 25$(개)입니다.

3-1 케이크 한 개에 양초가 7개씩 꽂혀 있습니다. 물음에 답하세요.

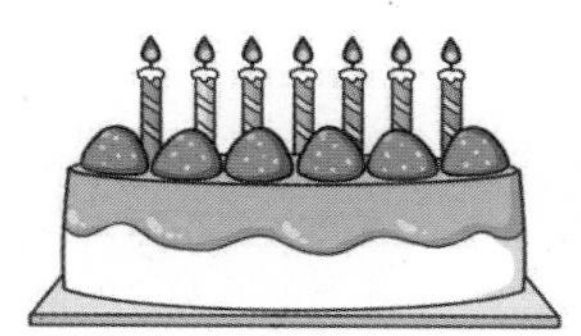   ……

(1) 케이크의 수와 양초의 수 사이의 대응 관계를 표를 이용하여 알아보세요.

케이크의 수(개)	1	2	3	4	5	……
양초의 수(개)						……

(2) 빈 곳에 ×, ÷, =를 알맞게 써넣어 케이크의 수와 양초의 수 사이의 대응 관계를 식으로 나타내어 보세요.

➔ 케이크의 수  7  양초의 수

(3) 케이크의 수를 ◆, 양초의 수를 ●라고 할 때 두 양 사이의 대응 관계를 기호를 사용하여 식으로 나타내어 보세요.

식 ______________________

(4) 양초가 56개일 때 케이크는 몇 개일까요?

(　　　　　　　　)

3-2 표를 보고 두 양 사이의 대응 관계를 찾아 식으로 나타내어 보세요.

(1)

♥	4	5	6	7	8	……
★	16	20	24	28	32	……

식 ______________________

(2)

◎	10	11	12	13	14	……
■	7	8	9	10	11	……

식 ______________________

1단계 교과서 개념 잡기

개념 4 생활 속에서 대응 관계를 찾아 식으로 나타내기

- 달걀의 수와 달걀판의 수 사이의 대응 관계를 찾아 식으로 나타내기

달걀판 하나에 달걀이 10개씩 들어 있습니다.

서로 대응하는 두 양	달걀의 수	달걀판의 수

대응 관계	
	(달걀판의 수) $\times$ 10 $=$ (달걀의 수)
	(달걀의 수) $\div$ 10 $=$ (달걀판의 수)

달걀의 수를 ■, 달걀판의 수를 ▲라 할 때 두 양 사이의 대응 관계를 식으로 나타내기 ➔ ▲ $\times$ 10 $=$ ■ 또는 ■ $\div$ 10 $=$ ▲

- 주변에서 서로 대응하는 두 양을 찾아 대응 관계를 식으로 나타내기

(1) 서로 대응하는 두 양을 찾고 대응 관계 알아보기

서로 대응하는 두 양		대응 관계
와플의 수	딸기의 수	(와플의 수) $\times$ 3 $=$ (딸기의 수)
와플의 수	블루베리의 수	(와플의 수) $\times$ 6 $=$ (블루베리의 수)

(2) 두 양 사이의 대응 관계를 기호를 사용하여 식으로 나타내기

와플의 수를 ◆, 딸기의 수를 ●라고 할 때 두 양 사이의 대응 관계를 식으로 나타내기 ➔ ◆ $\times$ 3 $=$ ● 또는 ● $\div$ 3 $=$ ◆

와플의 수를 ◆, 블루베리의 수를 ▲라 할 때 두 양 사이의 대응 관계를 식으로 나타내기 ➔ ◆ $\times$ 6 $=$ ▲ 또는 ▲ $\div$ 6 $=$ ◆

4-1 영화의 관람료는 7000원입니다. 물음에 답하세요.

(1) 영화관의 관람객의 수와 관람료 사이의 대응 관계를 표를 이용하여 알아보세요.

관람객의 수(명)	1	2	3	4	5	……
관람료(원)	7000	14000				……

(2) 관람객의 수를 ★, 관람료를 ◎라고 할 때 ★과 ◎ 사이의 대응 관계를 식으로 나타내어 보세요.

식 ____________________

(3) 8명이 영화를 관람하려면 얼마를 내야 할까요?

(　　　　　　　)

4-2 과자 한 상자에 과자가 12개씩 들어 있습니다. 과자 상자의 수를 ♥, 과자의 수를 ▲라고 할 때 두 양 사이의 대응 관계를 식으로 나타내려고 합니다. □ 안에 알맞은 식을 써넣으세요.

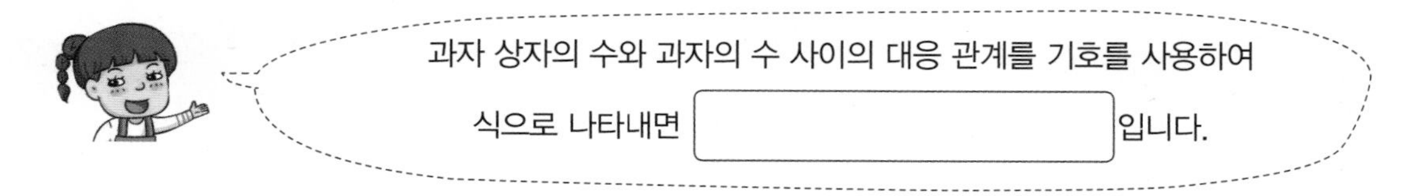

4-3 칠판에 미술 작품을 자석으로 붙이고 있습니다. 미술 작품의 수와 자석의 수 사이의 대응 관계를 찾아 식으로 나타내어 보세요.

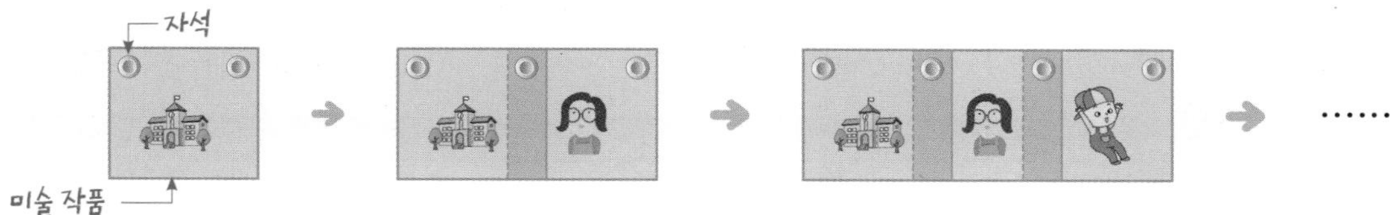

➔ 미술 작품의 수를 ★, 자석의 수를 ■라고 할 때 두 양 사이의 대응 관계를 기호를 사용하여 식으로 나타내면 □입니다.

PLAY 교과서 개념 스토리

놀이터에서 대응 관계 찾기

준비물 붙임딱지

두 양 사이의 대응 관계에 맞게 시소 받침대와 사람 붙임딱지를 붙여 보고, 대응 관계를 표로 나타내어 보세요.

- 시소 받침대의 수는 시소의 수의 2배입니다.
- 시소 하나에 사람이 4명씩 앉아 있습니다.

시소의 수(개)	1	2	3	4	……
받침대의 수(개)					……

시소의 수(개)	1	2	3	4	……
사람의 수(명)					……

두 양 사이의 대응 관계에 맞게 철봉 대와 철봉 기둥, 철봉에 매달린 사람 붙임딱지를 붙여 보고, 대응 관계를 표로 나타내어 보세요.

• 철봉 기둥의 수는 철봉 대의 수보다 1 큽니다.
• 철봉 대의 수는 철봉에 매달린 사람의 수보다 1 작습니다.
1 주
교과서
철봉 대
철봉 기둥

철봉 대의 수(개)	1	2	3	4	……
철봉 기둥의 수(개)					……

사람의 수(명)	2	3	4	5	……
철봉 대의 수(개)					……

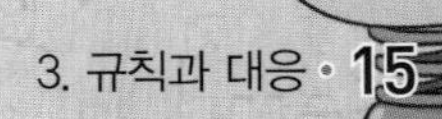

교과서 개념 스토리 빵 가게에서 대응 관계 찾기

준비물 붙임딱지

윤희는 삼촌과 함께 빵 가게에 갔어요. 빵 가게에서 서로 대응하는 두 양을 찾아 표로 나타내고, 대응 관계를 붙임딱지를 붙여 식으로 나타내어 보세요.

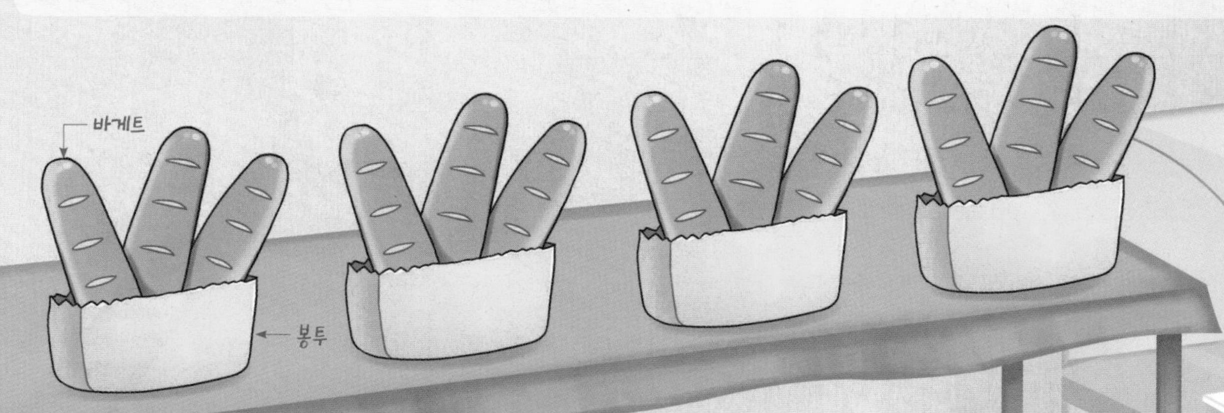

봉투의 수와 바게트의 수 사이의 대응 관계를 표를 이용하여 알아보세요.

봉투의 수(개)	1	2	3	4	……
바게트의 수(개)					……

봉투의 수와 바게트의 수 사이의 대응 관계를 식으로 나타내어 보세요.

봉지의 수와 쿠키의 수 사이의 대응 관계를 표를 이용하여 알아보세요.

봉지의 수(개)	1	2	3	4	……
쿠키의 수(개)					……

봉지의 수와 쿠키의 수 사이의 대응 관계를 두 가지 식으로 나타내어 보세요.

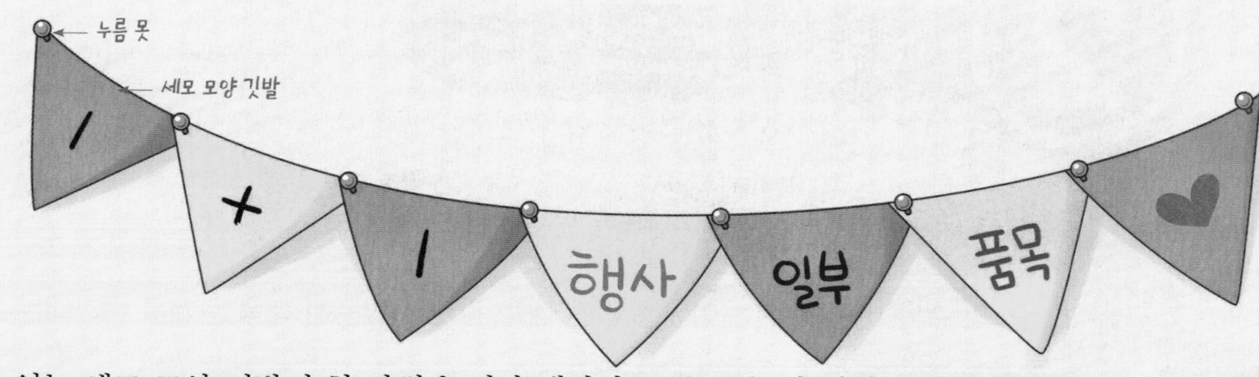

위에 있는 세모 모양 깃발이 한 장씩 늘어날 때마다 누름 못은 몇 개씩 늘어나는지 대응 관계를 표를 이용하여 알아보세요.

깃발의 수(장)	1	2	3	4	5	......
누름 못의 수(개)						......

깃발의 수와 누름 못의 수 사이의 대응 관계를 식으로 나타내어 보세요.

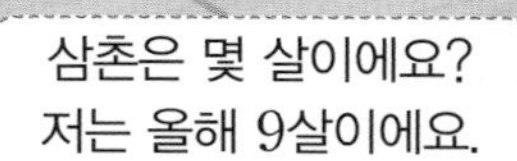

삼촌은 몇 살이에요?
저는 올해 9살이에요.

윤희의 나이와 삼촌의 나이 사이의 대응 관계를 표를 이용하여 알아보세요.

윤희의 나이(살)	9	10	11	12	13	......
삼촌의 나이(살)						......

윤희의 나이와 삼촌의 나이 사이의 대응 관계를 두 가지 식으로 나타내어 보세요.

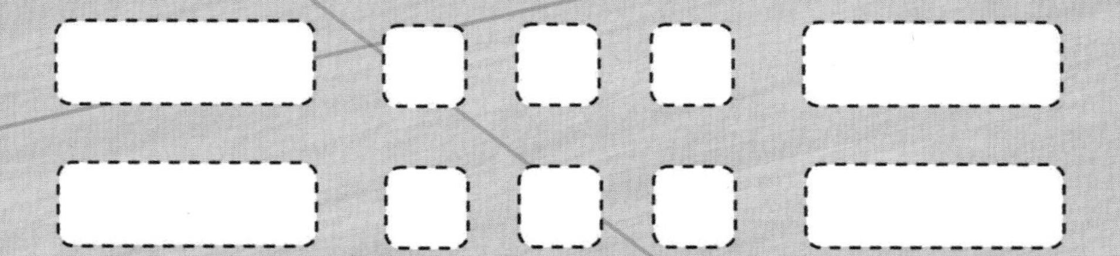

2단계 교과서 개념 다지기

개념 1 서로 대응하는 두 양 사이의 대응 관계 찾아보기

01 버스의 수와 바퀴의 수 사이에는 어떤 대응 관계가 있는지 대응 관계를 나타내는 표를 완성하고 □ 안에 알맞은 수를 써넣으세요.

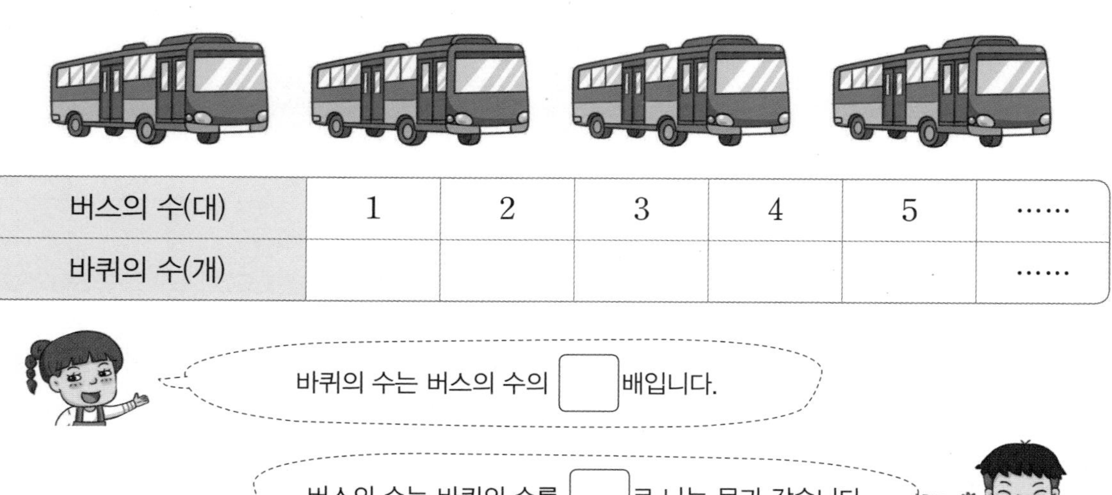

버스의 수(대)	1	2	3	4	5	……
바퀴의 수(개)						……

바퀴의 수는 버스의 수의 □배입니다.

버스의 수는 바퀴의 수를 □로 나눈 몫과 같습니다.

02 가래떡을 자른 횟수와 가래떡 조각의 수 사이에는 어떤 대응 관계가 있는지 알아보려고 합니다. 물음에 답하세요.

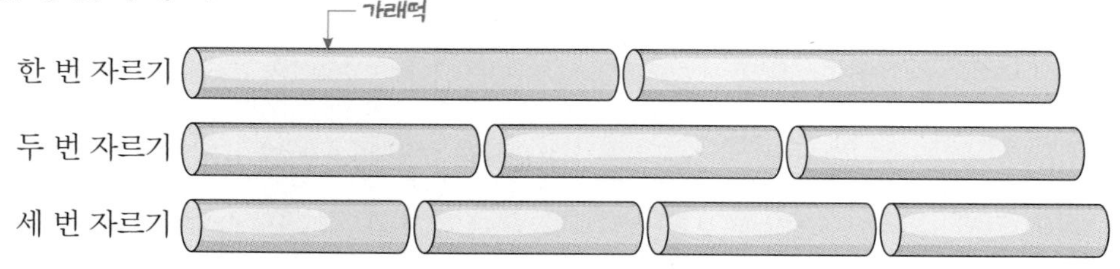

(1) 가래떡을 한 번 자르면 가래떡은 몇 조각이 될까요?

( )

(2) 가래떡을 자른 횟수와 가래떡 조각의 수 사이의 대응 관계를 표로 나타내어 보세요.

가래떡을 자른 횟수(번)	1	2	3	4	5	……
가래떡 조각의 수(조각)						……

(3) □ 안에 알맞은 수를 써넣으세요.

가래떡 조각의 수는 가래떡을 자른 횟수보다 □ 큽니다.

정답과 풀이 p.4

개념 2 표를 이용하여 두 양 사이의 대응 관계 알아보기

03 ■와 ★ 사이의 대응 관계를 나타낸 표입니다. □ 안에 알맞은 수를 써넣으세요.

■	1	2	3	4	5	6	7	……
★	3	4	5	6	7	8	9	……

➔ ★은 ■보다 □ 큽니다.

➔ ■는 ★보다 □ 작습니다.

04 다음을 읽고 윤하가 줄넘기를 하는 날수와 줄넘기 횟수 사이의 대응 관계를 표로 나타내어 보세요.

윤하는 하루에 줄넘기를 70번씩 매일 합니다.

날수(일)	1	2	3	4	5	6	……
줄넘기 횟수(번)							……

05 ●와 ▲ 사이의 대응 관계를 나타낸 표입니다. 물음에 답하세요.

●	5	6	7	8	9	10	11	……
▲	8	9	10					……

(1) 위의 표의 빈칸에 알맞은 수를 써넣으세요.

(2) ●와 ▲ 사이의 대응 관계를 써 보세요.

(3) ●가 15일 때 ▲는 얼마일까요?

( )

1주 교과서

개념 3 두 양 사이의 대응 관계 알아보기

06 오리의 수와 오리 다리의 수 사이의 대응 관계를 찾아 □ 안에 알맞은 수를 써넣으세요.

오리 다리의 수는 오리의 수의 □배입니다.

→ (오리의 수) × □ = (오리 다리의 수)

07 삼각대의 수와 삼각대 다리의 수 사이의 대응 관계를 써 보세요.

(삼각대의 수) × □ = (삼각대 다리의 수)

08 화분의 수와 꽃의 수 사이에는 어떤 대응 관계가 있는지 알아보려고 합니다. 물음에 답하세요.

(1) 화분의 수와 꽃의 수 사이의 대응 관계를 표를 이용하여 알아보세요.

화분의 수(개)	1	2	3	4	5
꽃의 수(송이)					

(2) □ 안에 알맞은 수를 써넣으세요.

꽃의 수는 화분의 수의 □배입니다.  (화분의 수) × □ = (꽃의 수)

개념 4 대응 관계를 식으로 나타내기

09 무당벌레의 수를 □, 무당벌레 다리의 수를 △라고 할 때 두 양 사이의 대응 관계를 식으로 바르게 나타낸 것을 찾아 기호를 써 보세요.

㉠ □÷6=△
㉡ □×6=△
㉢ □+6=△
㉣ □−6=△

(　　　　　　　　　　)

10 ★과 ● 사이의 대응 관계를 찾아 표를 완성하고 대응 관계를 식으로 나타내어 보세요.

★	6	7	8	9	10	11	……
●	2	3	4				……

식 ____________________

11 관계있는 것끼리 선으로 이어 보세요.

■	1	2	3	4	5
♥	5	10	15	20	25

■	3	4	5	6	7
♥	8	9	10	11	12

• ■+5=♥

• ■×5=♥

1주 교과서

개념 5 생활 속에서 대응 관계 찾아보기

12 그림에서 서로 대응하는 두 양을 찾아 대응 관계를 써 보세요.

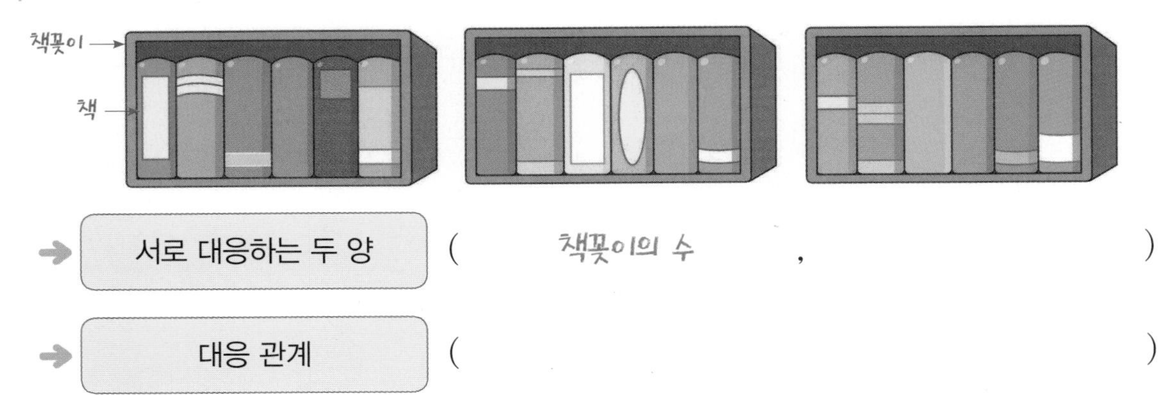

➜ 서로 대응하는 두 양 (책꽂이의 수 ,)

➜ 대응 관계 ( )

13 그림에서 서로 대응하는 두 양을 찾아 대응 관계를 써 보세요.

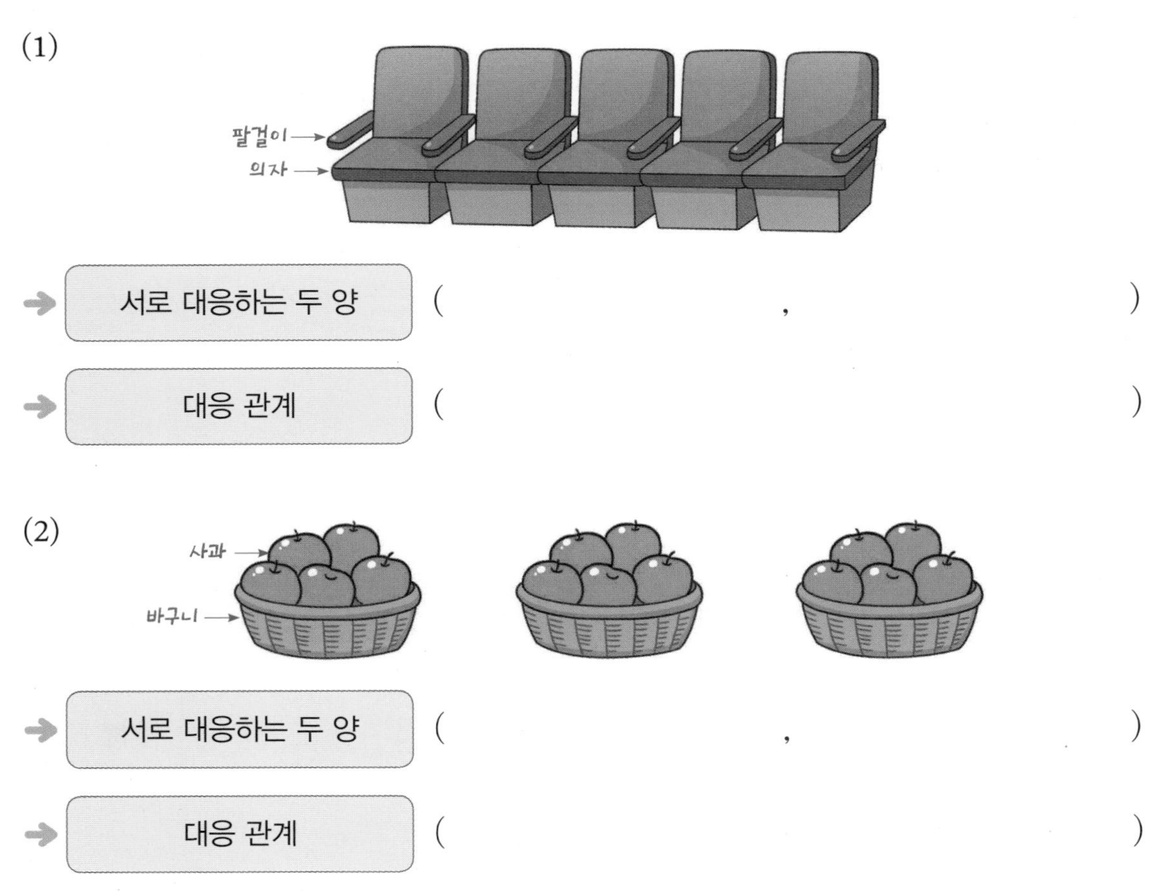

➜ 서로 대응하는 두 양 (,)

➜ 대응 관계 ( )

➜ 서로 대응하는 두 양 (,)

➜ 대응 관계 ( )

1 주 교과서

개념 6 생활 속에서 대응 관계를 찾아 식으로 나타내기

14

→ 쪼개진 물건의 부분을 세는 단위.

6쪽으로 나뉘어져 있는 육쪽마늘을 보고 물음에 답하세요.

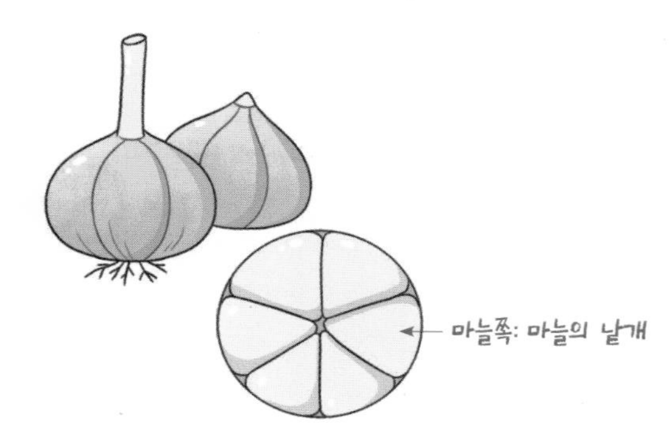

(1) 마늘의 수와 마늘쪽의 수 사이의 대응 관계를 표를 이용하여 알아보세요.

마늘의 수(개)	1	2	3	4	5	……
마늘쪽의 수(쪽)	6	12	18			……

(2) 마늘의 수를 ■, 마늘쪽의 수를 ◎라고 할 때 두 양 사이의 대응 관계를 식으로 나타내어 보세요.

식 ______________________

15

진영이의 나이와 연도 사이의 대응 관계를 기호를 사용하여 식으로 나타내려고 합니다. 물음에 답하세요.

진영이의 나이(살)	12	13	14	15	16
연도(년)	2020		2022		

(1) 위의 표를 완성해 보세요.

(2) 진영이의 나이를 △, 연도를 □라고 할 때 두 양 사이의 대응 관계를 식으로 나타내어 보세요.

식 ______________________

3단계 교과서 실력 다지기

★ 두 양 사이의 대응 관계를 나타낸 식

1 버스 한 대에 15명씩 타고 있습니다. 버스의 수를 ◎, 사람의 수를 ■라고 할 때 두 양 사이의 대응 관계를 바르게 나타낸 것을 모두 찾아 기호를 써 보세요.

㉠ ◎×15=■
㉡ ■×15=◎
㉢ ■÷15=◎

답 ______________

개념 피드백
• 두 양 ◎와 ■ 사이의 대응 관계를 나타낸 식 찾기
① ◎가 1일 때 ■의 수를 알아보고, ◎가 2일 때 ■의 수를 알아봅니다.
② ■가 어떻게 변하는지 알아보고 식으로 바르게 나타낸 것을 찾습니다.

1-1 5명씩 앉을 수 있는 의자가 있습니다. 의자의 수를 ★, 앉을 수 있는 사람의 수를 ●라고 할 때 두 양 사이의 대응 관계를 바르게 나타낸 것을 모두 찾아 기호를 써 보세요.

㉠ ★+5=●
㉡ ★×5=●
㉢ ●÷5=★

(　　　　　　　　)

1-2 대응 관계를 나타낸 식을 보고 식에 알맞은 상황을 만든 사람을 찾아 이름을 써 보세요.

■+2=▲

승기: 형의 나이(▲)는 내 나이(■)보다 2살 많습니다.
민영: 음료수의 수(▲)는 빨대의 수(■)와 같습니다.

(　　　　　　　　)

대응 관계를 식으로 나타내고 알맞은 값 구하기

2 연필이 한 상자에 12자루씩 들어 있습니다. 연필의 수를 ▲, 상자의 수를 ●라고 할 때 물음에 답하세요.

(1) 연필의 수와 상자의 수 사이의 대응 관계를 ▲와 ●를 사용하여 식으로 나타내어 보세요.

(2) 연필 156자루는 상자 몇 개에 들어 있는지 구해 보세요.

개념 피드백

• 서로 대응하는 두 양 중에서 하나를 구하는 방법

① 두 양 사이의 대응 관계를 기호를 사용하여 식으로 나타냅니다.

② 주어진 값을 기호 자리에 넣고 나머지 값을 구합니다.

2-1 음료수 한 캔에 설탕이 25 g 들어 있다고 합니다. 음료수 캔의 수를 ■(캔), 설탕의 양을 ▲ (g)이라고 할 때 물음에 답하세요.

(1) 음료수 캔의 수와 설탕의 양 사이의 대응 관계를 ■와 ▲를 사용하여 식으로 나타내어 보세요.

식 ______________________

(2) 설탕 125 g은 음료수 몇 캔에 들어 있는 양인지 구해 보세요.

(   )

1주 교과서

표를 이용하여 대응 관계 알아보기

3 사각형과 삼각형으로 규칙적인 배열을 만들고 있습니다. 변하는 부분과 변하지 않는 부분을 생각하며, 도형의 수가 어떻게 변하는지 표를 완성하고 □ 안에 알맞은 수를 써넣으세요.

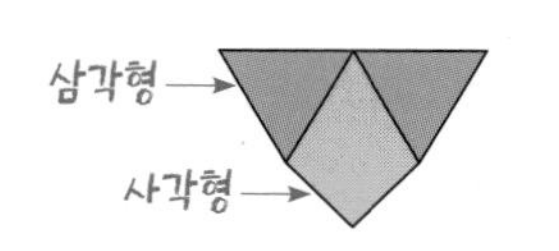

→ 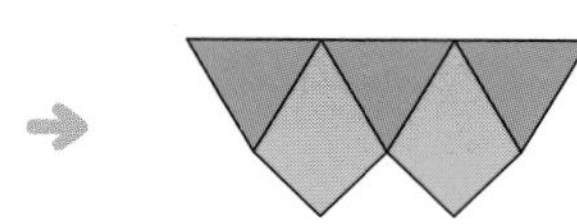 → 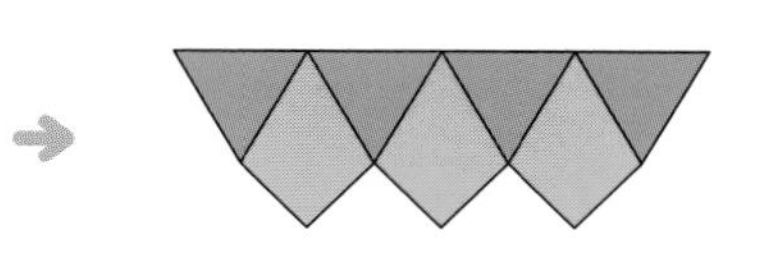 → 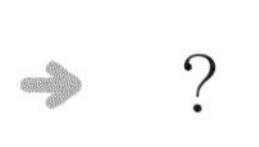

사각형의 수(개)	1	2	3	4	5	……
삼각형의 수(개)						……

→ 사각형이 15개일 때 삼각형은 □개입니다.

개념 피드백
- 사각형과 삼각형으로 규칙적인 배열을 만들 때 대응 관계 알아보기

① 사각형과 삼각형이 몇 개씩 늘어나는지 알아봅니다.
② 삼각형과 사각형의 수의 차를 알아봅니다.

3-1 별과 하트로 규칙적인 배열을 만들고 있습니다. 물음에 답하세요.

     → ?

(1) 별의 수와 하트의 수가 어떻게 변하는지 표를 완성해 보세요.

별의 수(개)	1	2	3	4	5	……
하트의 수(개)						……

(2) 별의 수와 하트의 수 사이의 대응 관계를 바르게 설명한 것을 찾아 기호를 써 보세요.

㉠ 하트의 수는 별의 수의 2배입니다.
㉡ 별의 수는 하트의 수보다 2개 적습니다.
㉢ 하트의 수는 별의 수보다 2개 적습니다.

(　　　　　　　　)

도형의 배열에서 대응 관계 알아보기

4 영지는 성냥개비로 그림과 같이 삼각형을 만들고 있습니다. 삼각형 8개를 만드는 데 필요한 성냥개비는 몇 개인지 구해 보세요.

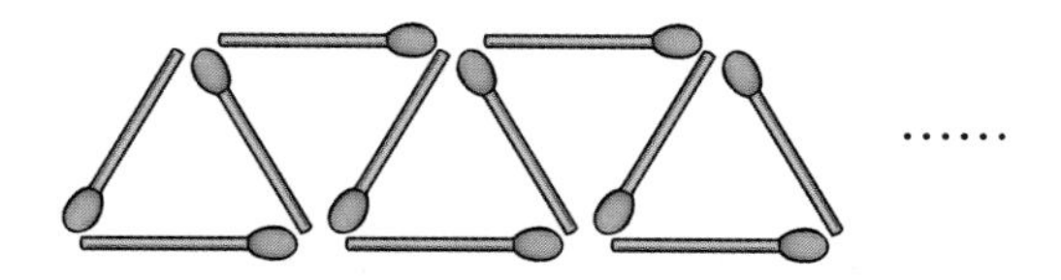

(1) 삼각형의 수와 성냥개비의 수 사이의 대응 관계를 표로 나타내어 보세요.

삼각형의 수(개)	1	2	3	4	5	……
성냥개비의 수(개)						……

(2) 삼각형의 수와 성냥개비의 수 사이의 대응 관계를 찾아 □ 안에 알맞은 수를 써넣으세요.

> 삼각형 1개를 만드는 데 성냥개비가 □개 필요하고,
> 삼각형이 1개씩 늘어날 때, 성냥개비는 □개씩 늘어납니다.

(3) 삼각형 8개를 만드는 데 필요한 성냥개비의 수를 구해 보세요.

• 성냥개비로 삼각형을 만들 때 대응 관계 알아보기
① 두 양 사이의 대응 관계를 표를 이용하여 알아봅니다.
② 삼각형이 1개씩 늘어날 때 성냥개비는 몇 개씩 늘어나는지 알아봅니다.

4-1 가영이는 면봉으로 그림과 같이 정오각형을 만들고 있습니다. 정오각형 8개를 만드는 데 필요한 면봉은 몇 개인지 구해 보세요.

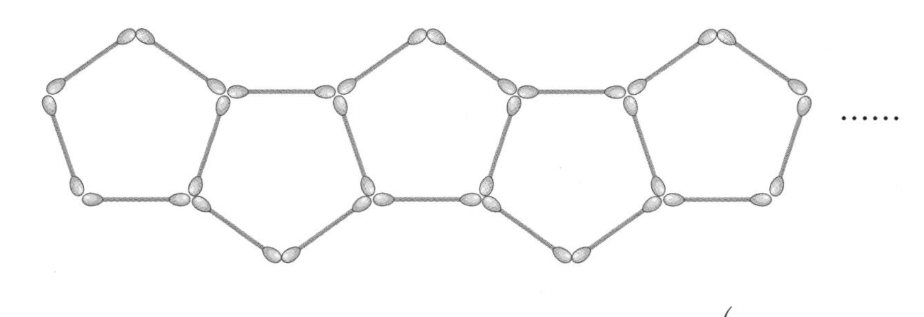

(　　　　　　　　)

★ 규칙적인 배열에서 대응 관계 알아보기

5 그림과 같이 바둑돌을 늘어놓았습니다. 12째에 늘어놓은 바둑돌은 모두 몇 개인지 구해 보세요.

배열 순서 → 1, 2, 3, 4

바둑돌 → ……

(1) 배열 순서와 바둑돌의 수 사이의 대응 관계를 표를 이용하여 알아보세요.

배열 순서	1	2	3	4	……
바둑돌의 수(개)					……

(2) 배열 순서와 바둑돌의 수 사이의 대응 관계를 써 보세요.

(배열 순서) × □ = (바둑돌의 수)

(3) 12째에 늘어놓은 바둑돌은 모두 몇 개일까요?

답 ____________

개념 피드백
- 바둑돌을 규칙적으로 늘어놓을 때 대응 관계 알아보기
① 배열 순서를 나타내는 수와 바둑돌의 수를 표로 나타내어 봅니다.
② 배열 순서와 바둑돌의 수 사이의 대응 관계를 알아봅니다.

5-1 구슬로 규칙적인 배열을 만들고 있습니다. 25째에 놓을 구슬은 몇 개인지 구해 보세요.

첫째 둘째 셋째 넷째 ……

( )

★ 생활 속에서 대응 관계를 찾아 식으로 나타내기

6 수정이와 동생이 매주 저금을 하려고 합니다. 수정이는 가지고 있던 1000원을 저금하였고, 동생은 500원을 저금하였습니다. 그 다음 주부터 두 사람 모두 1주일에 각각 1000원씩 저금을 하기로 했을 때 두 양 사이의 대응 관계를 식으로 나타내어 보세요.

(1) 수정이와 동생이 모은 돈 사이의 대응 관계를 표를 이용하여 알아보세요.

	시작 일	1주일 후	2주일 후	3주일 후	……
수정이가 모은 돈(원)	1000	2000			……
동생이 모은 돈(원)	500				……

(2) 수정이가 모은 돈을 ◎, 동생이 모은 돈을 △라고 할 때 두 양 사이의 대응 관계를 식으로 나타내어 보세요.

 ____________________

개념 피드백
- 두 사람이 모은 돈 사이의 대응 관계 알아보기

① 두 사람이 모은 돈을 비교하여 누가 얼마 더 많은지 알아봅니다.
② 두 양 사이의 대응 관계를 기호를 사용하여 식으로 나타냅니다.

6-1 지하철이 1초에 30 m를 이동한다고 합니다. 지하철이 이동하는 시간을 ★(초), 이동하는 거리를 ◆ (m)라고 할 때 두 양 사이의 대응 관계를 식으로 나타내어 보세요.

 ____________________

6-2 어느 옷 가게에서 바지를 한 벌에 5000원씩 판매하고 있습니다. 판매한 바지의 수를 ▲, 판매하고 받은 금액을 ■라고 할 때 ▲와 ■ 사이의 대응 관계를 식으로 나타내어 보세요.

식 ____________________

1 주 교과서

교과서 서술형 연습

1 올해 수지는 15살이고 동생은 9살입니다. 수지가 27살일 때 동생은 몇 살인지 구해 보세요.

구하려는 것, 주어진 것에 선을 그어 봅니다.

해결하기 동생의 나이는 수지의 나이보다 ☐살 적으므로

수지의 나이와 동생의 나이 사이의 대응 관계를 식으로 나타내면

(수지의 나이)−☐=(동생의 나이)입니다.

따라서 수지가 27살일 때 동생의 나이를 구하면

☐−☐=☐(살)입니다.

답 구하기 ☐살

서술형 실전

2 올해 아버지는 42살이고 어머니는 39살입니다. 아버지가 51살일 때 어머니는 몇 살인지 구해 보세요.

구하려는 것, 주어진 것에 선을 그어 봅니다.

해결하기

답 구하기

서술형 연습

3 팔찌 하나를 만드는 데 비즈 9개가 필요합니다. 팔찌의 수와 필요한 비즈의 수 사이의 대응 관계를 기호를 사용하여 식으로 나타내고, 팔찌 15개를 만드는 데 필요한 비즈는 몇 개인지 구해 보세요.

구하려는 것, 주어진 것에 선을 그어 봅니다.

해결하기 팔찌의 수를 ○, 필요한 비즈의 수를 △라고 하고 두 양 사이의 대응 관계를 기호를 사용하여 식으로 나타내면 [　　　] 입니다.

따라서 팔찌 15개를 만드는 데 필요한 비즈는 15 × [　] = [　　] (개)입니다.

식 구하기 [　] × [　] = [　]　　답 구하기 [　　] 개

서술형 실전

4 주아는 문방구에서 600원짜리 지우개를 사려고 합니다. 사려고 하는 지우개의 수와 주아가 내야 할 돈 사이의 대응 관계를 기호를 사용하여 식으로 나타내고, 주아가 지우개 8개를 사려면 돈을 얼마를 내야 하는지 구해 보세요.

구하려는 것, 주어진 것에 선을 그어 봅니다.

해결하기

식 구하기　　답 구하기

1주 교과서

PLAY 사고력 개념 스토리

민박집에서 대응 관계 찾기

준비물 · 붙임딱지

규칙에 따라 수건과 빨래집게 붙임딱지를 붙여 보고, 빈 곳에 알맞은 식을 붙여 보세요.

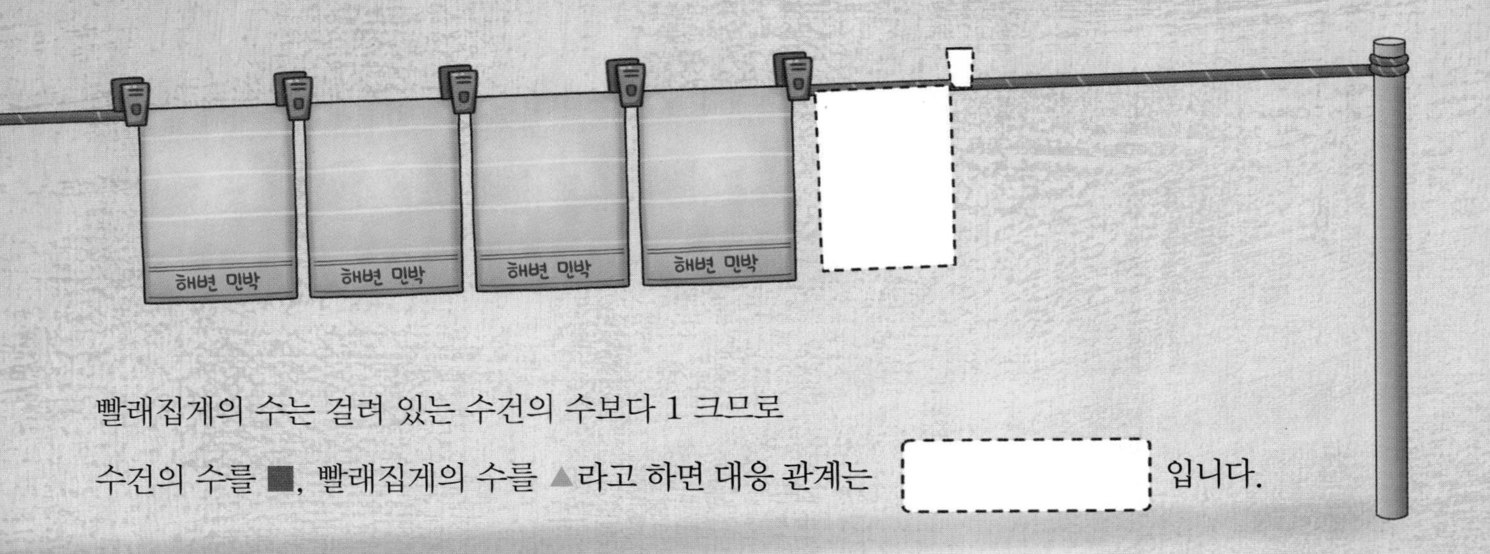

빨래집게의 수는 걸려 있는 수건의 수보다 1 크므로

수건의 수를 ■, 빨래집게의 수를 ▲라고 하면 대응 관계는 [ ] 입니다.

순서와 바닥에 놓인 돌의 수 사이의 규칙을 찾아 붙임딱지를 붙여 보고, 표를 완성한 후 빈 곳에 알맞은 식을 붙여 보세요.

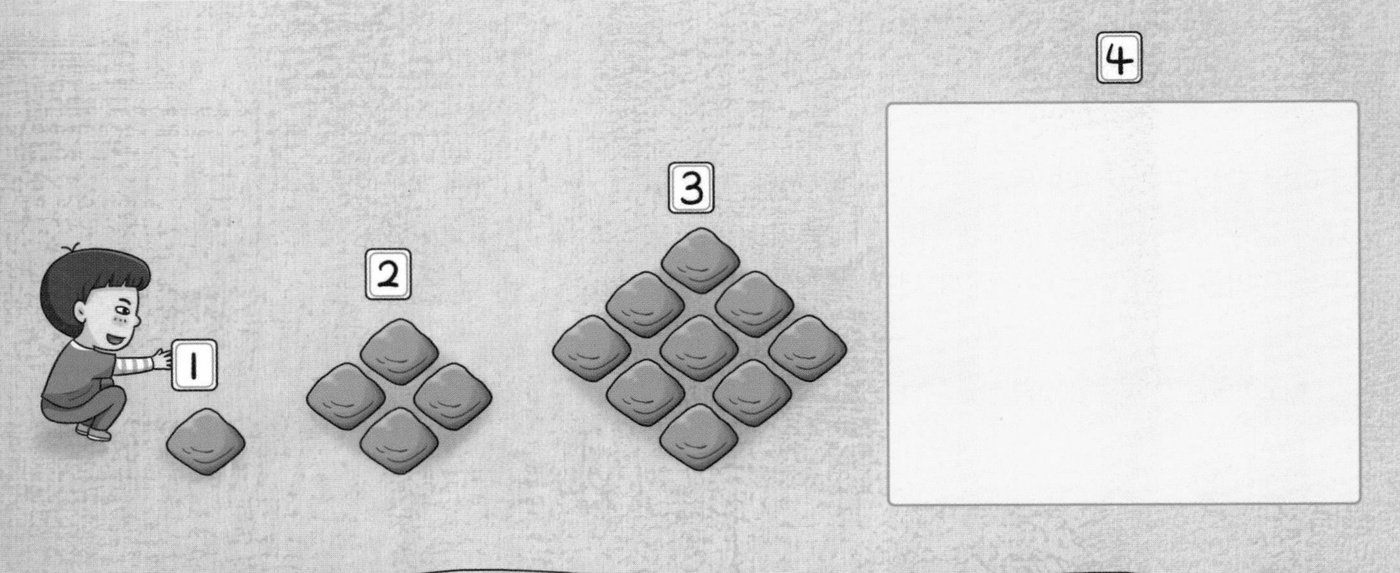

배열 순서	1	2	3	4	……
돌의 수(개)	1				……

배열 순서를 ■, 돌의 수를 ▲라고 하면 대응 관계는 [ ] 입니다.

해변 민박집

탁자 1개에 의자를 4개씩 놓으려고 합니다. 의자 붙임딱지를 붙여 보고, 표를 완성한 후 빈 곳에 알맞은 식을 붙여 보세요.

탁자의 수(개)	1	2	3	4	……
의자의 수(개)	4				……

탁자의 수를 ■, 의자의 수를 ▲라고 하면 대응 관계는 [ ] 입니다.

PLAY 사고력 개념 스토리

장작으로 대응 관계 찾기

준비물 붙임딱지

장작을 이어 붙여 삼각형 모양을 만들었습니다. 규칙에 따라 장작 붙임딱지를 붙여 보고, 표를 완성한 후 빈 곳에 알맞은 식을 붙여 보세요.

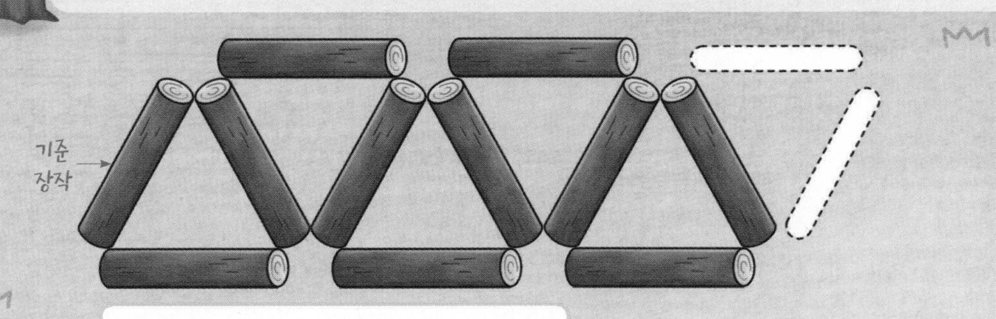

삼각형의 수: ■ 장작의 수: ▲

■	1	2	3	4	5	6	......
▲	3	5					......

+2 +☐ +☐ +☐ +☐

■와 ▲ 사이의 대응 관계를 나타내는 식 ➜ ☐

장작을 이어 붙여 사각형 모양을 만들었습니다. 규칙에 따라 장작 붙임딱지를 붙여 보고, 표를 완성한 후 빈 곳에 알맞은 식을 붙여 보세요.

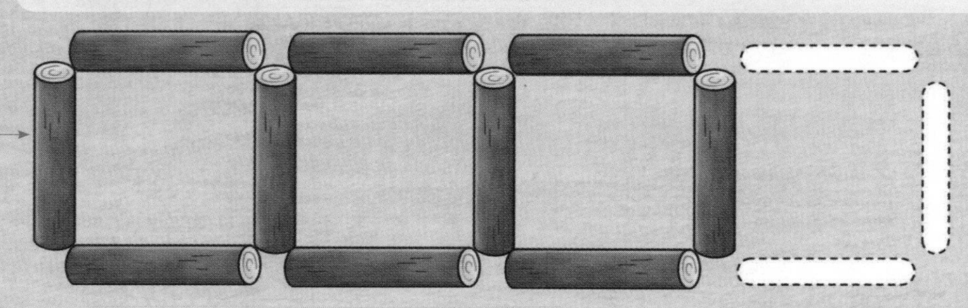

사각형의 수: ■ 장작의 수: ▲

■	1	2	3	4	5	6	......
▲							......

+☐ +☐ +☐ +☐ +☐

■와 ▲ 사이의 대응 관계를 나타내는 식 ➜ ☐

규칙을 찾아 그루터기 붙임딱지를 붙여 보고, 표를 완성한 후 식을 붙여 보세요.

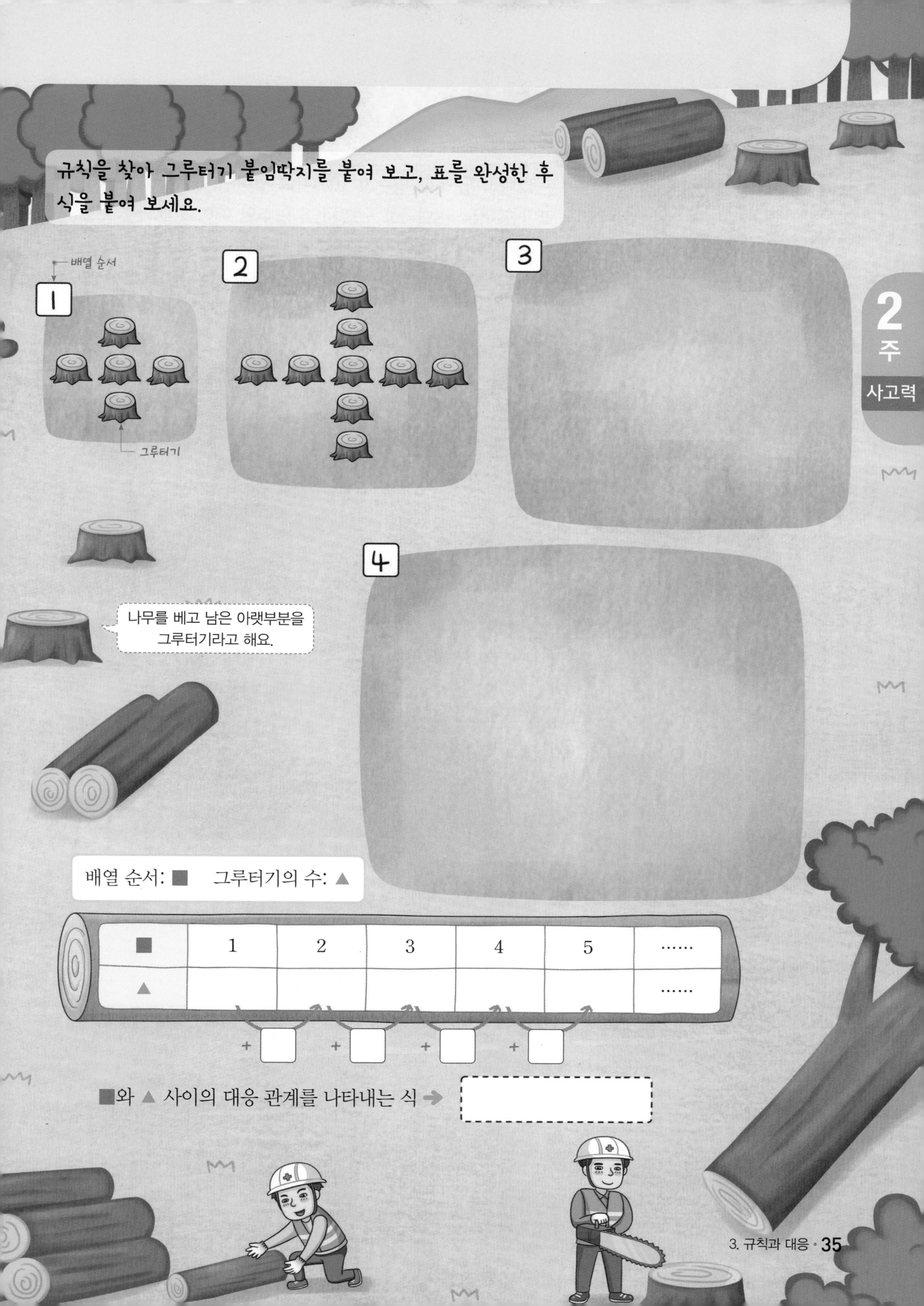
배열 순서
1
그루터기
2
3
4
나무를 베고 남은 아랫부분을 그루터기라고 해요.

배열 순서: ■ 그루터기의 수: ▲

■	1	2	3	4	5	……
▲						……

+ ☐ + ☐ + ☐ + ☐

■와 ▲ 사이의 대응 관계를 나타내는 식 ➔ ☐

단계

1 교과 사고력 잡기

1

영수가 2라고 말하면 혜미는 12라고 답하고, 영수가 10이라고 말하면 혜미는 60이라고 답하고, 영수가 8이라고 말하면 혜미는 48이라고 답합니다. 영수와 혜미의 대화를 보고 영수가 25라고 말하면 혜미는 어떤 수를 답해야 하는지 구해 보세요.

① □ 안에 알맞은 수를 써넣으세요.

나는 영수가 말한 수에
□을 곱한 수를
답하고 있어.
영수
혜미

② 영수가 말한 수를 ■, 혜미가 답한 수를 ▲라고 할 때 두 양 사이의 대응 관계를 식으로 나타내어 보세요.

③ 영수가 25라고 말하면 혜미는 어떤 수를 답해야 할까요?

(　　　　　　　　　　)

정답과 풀이 p.9

2

긴 화단에 처음부터 끝까지 1 m 간격으로 해바라기를 심으려고 합니다. 심은 해바라기가 30송이일 때 화단의 길이는 몇 m인지 구해 보세요. (단 해바라기의 두께는 생각하지 않습니다.)

1. 화단의 길이와 해바라기의 수 사이의 대응 관계를 표로 나타내어 보세요.

화단의 길이(m)	1	2	3	4	5	……
해바라기의 수(송이)						……

2. 화단의 길이를 ▲ (m), 해바라기의 수를 ■(송이)라고 할 때 두 양 사이의 대응 관계를 식으로 나타내어 보세요.

식 ____________________

3. 화단의 길이가 10 m일 때 심어야 하는 해바라기는 몇 송이인지 구해 보세요.

( )

4. 심은 해바라기가 30송이일 때 화단의 길이는 몇 m인지 구해 보세요.

( )

3

지성이는 길이가 5 cm인 색 테이프를 그림과 같이 1 cm씩 겹치게 이어 붙이고 있습니다. 색 테이프 10장을 이어 붙였을 때 이어 붙인 색 테이프의 전체 길이는 몇 cm인지 구해 보세요.

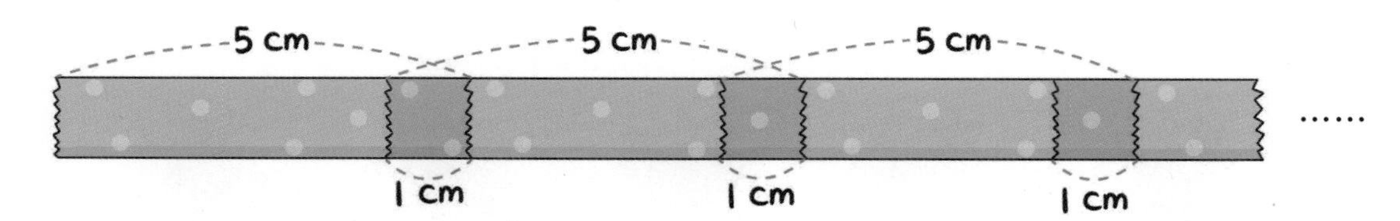

1 이어 붙인 색 테이프의 수와 겹친 부분의 수 사이의 대응 관계를 표를 이용하여 알아 보세요.

이어 붙인 색 테이프의 수(장)	2	3	4	5	6	……
겹친 부분(군데)						……

2 이어 붙인 색 테이프의 수를 ◆, 겹친 부분의 수를 ◎라고 할 때 두 양 사이의 대응 관계를 식으로 나타내어 보세요.

식 ______________________

3 색 테이프 10장을 이어 붙였을 때 겹친 부분은 몇 군데일까요?

( )

4 색 테이프 10장을 이어 붙였을 때 이어 붙인 색 테이프의 전체 길이는 몇 cm일까요?

( )

정답과 풀이 p.9

4

가, 나, 다 수도꼭지에서 물이 1분에 각각 8 L, 10 L, 12 L씩 나옵니다. 3개의 수도꼭지를 동시에 틀어서 물 900 L를 받으려면 몇 분이 걸리는지 구해 보세요.

1. 수도꼭지 3개에서 1분 동안 나오는 물의 양은 모두 몇 L일까요?

(　　　　　　　　　　)

2. 수도꼭지 3개를 동시에 틀어서 물을 받는 시간을 ★(분), 받는 물의 양을 ■ (L)라고 할 때 두 양 사이의 대응 관계를 식으로 나타내어 보세요.

3. 수도꼭지 3개를 동시에 틀어서 물 900 L를 받으려면 몇 분이 걸리는지 구해 보세요.

(　　　　　　　　　　)

2 단계 교과 사고력 확장

1 **카페에 들어갔더니 한 탁자에 의자가 4개씩 놓여 있습니다. 물음에 답하세요.**

① 탁자의 수를 ◎, 의자의 수를 △라고 할 때 두 양 사이의 대응 관계를 식으로 나타내어 보세요.

식 ____________________

② 탁자마다 의자를 하나씩 뺐습니다. 이때 탁자의 수를 ◎, 의자의 수를 ♡라고 하여 두 양 사이의 대응 관계를 식으로 나타내어 보세요.

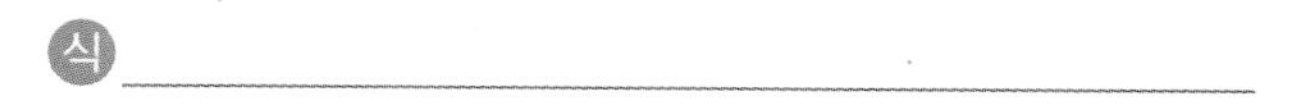
식 ____________________

③ 탁자마다 의자를 하나씩 더 뺐습니다. 이때 탁자의 수를 ◎, 의자의 수를 □라고 하여 두 양 사이의 대응 관계를 식으로 나타내어 보세요.

식 ____________________

2

요술 항아리에 동전을 넣으면 다음 그림과 같이 동전이 튀어나옵니다. 물음에 답하세요.

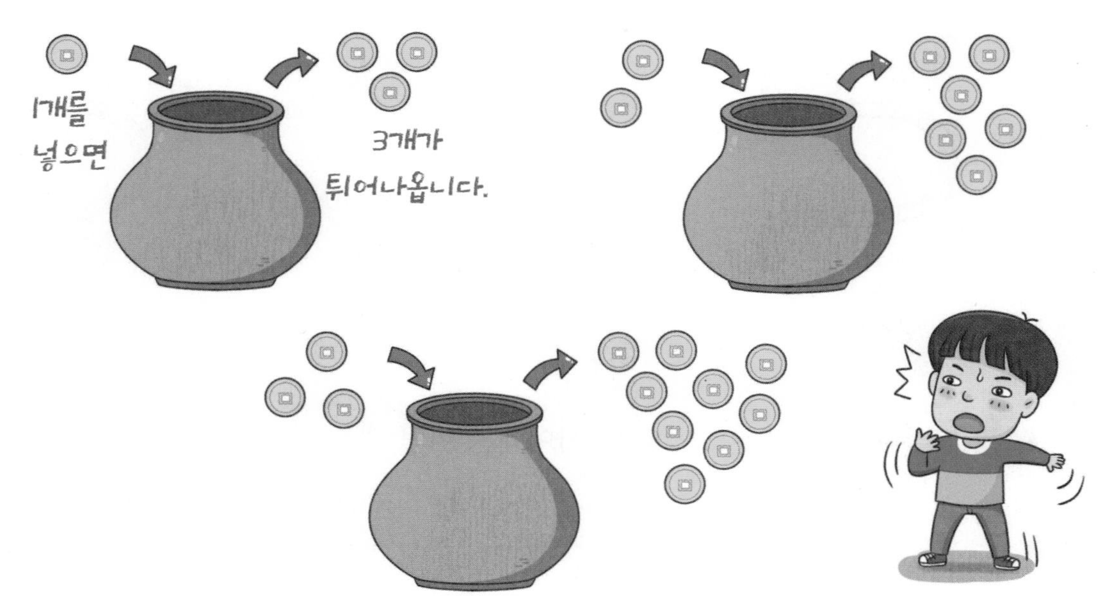

1 넣은 동전의 수와 튀어나온 동전의 수 사이의 대응 관계를 표를 이용하여 알아보세요.

넣은 동전의 수(개)	1	2	3	4	5	……
튀어나온 동전의 수(개)						……

2 넣은 동전의 수를 ♡, 튀어나온 동전의 수를 △라고 할 때 두 양 사이의 대응 관계를 식으로 나타내어 보세요.

식 ______________________

3 요술 항아리에 동전 10개를 넣으면 몇 개의 동전이 튀어나올까요?

( )

3 그림과 같이 점선을 따라 끈을 자르려고 합니다. 끈을 8번 자르면 몇 도막이 되는지 구해 보세요.

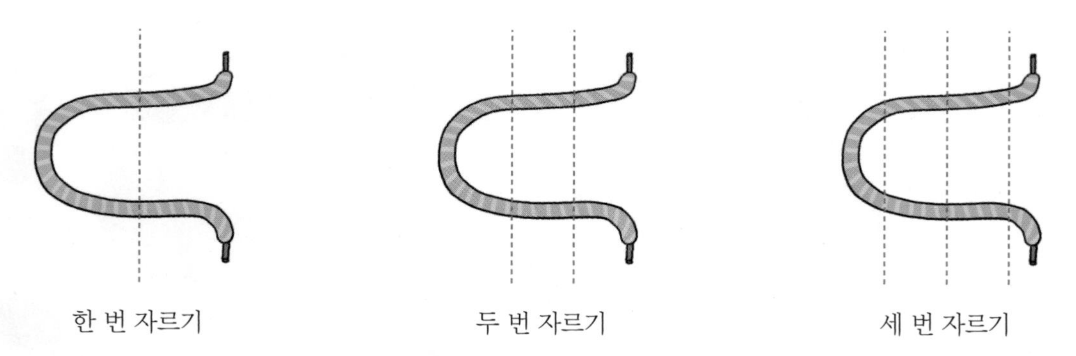

① 자른 횟수와 자른 도막의 수 사이에는 어떤 대응 관계가 있는지 표를 이용하여 알아보세요.

자른 횟수(번)	1	2	3	4	5	……
도막의 수(도막)	3					……

② 자른 횟수가 1번씩 늘어날 때마다 자른 도막의 수는 몇 도막씩 늘어날까요?

( )

③ 끈을 8번 자르면 몇 도막이 될까요?

( )

4

커다란 성냥개비를 이용하여 탑을 쌓고 있습니다. 성냥개비 64개로 탑을 몇 층까지 쌓을 수 있는지 구해 보세요.

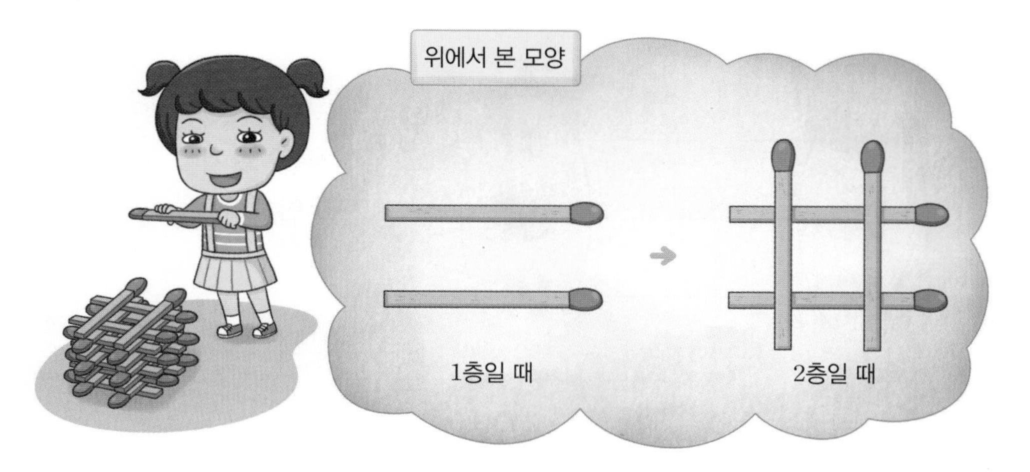

1. 탑이 한 층씩 높아질 때마다 성냥개비의 수는 몇 개씩 늘어날까요?

( )

2. 탑의 층수를 △, 사용한 성냥개비의 수를 ◎라고 할 때 두 양 사이의 대응 관계를 식으로 나타내어 보세요.

3. 탑을 5층까지 쌓을 때 성냥개비는 몇 개 필요할까요?

( )

4. 성냥개비 64개로 탑을 몇 층까지 쌓을 수 있을까요?

( )

3 단계 교과 사고력 완성

평가 영역 □개념 이해력 ☑개념 응용력 □창의력 □문제 해결력

1 두 수 사이의 대응 관계를 보기 와 같이 기호를 사용하여 식으로 나타내어 보세요.

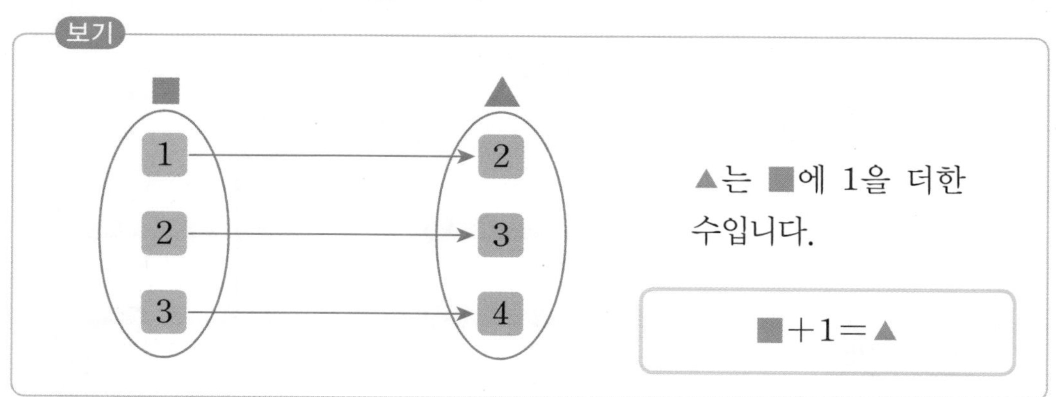

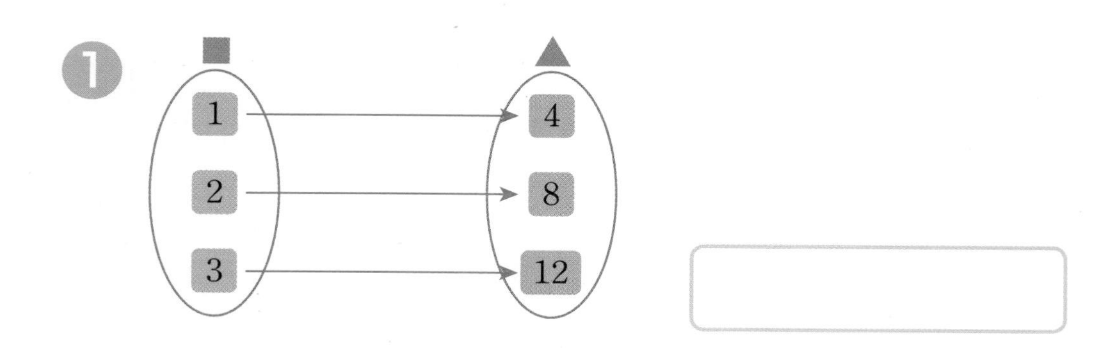

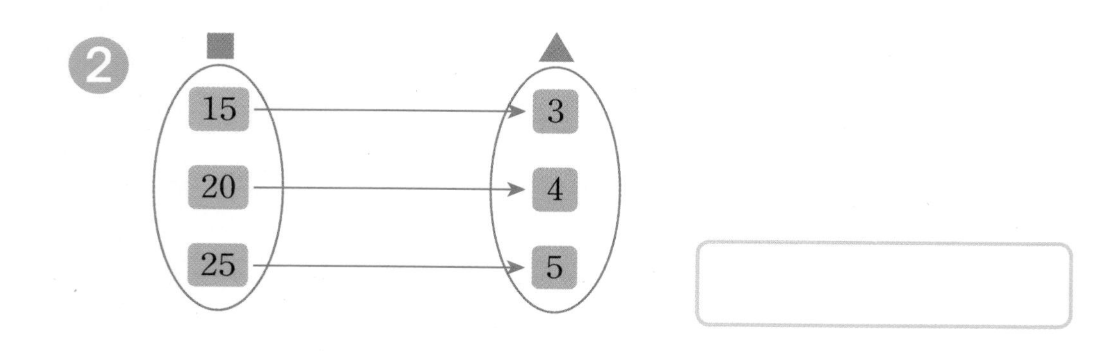

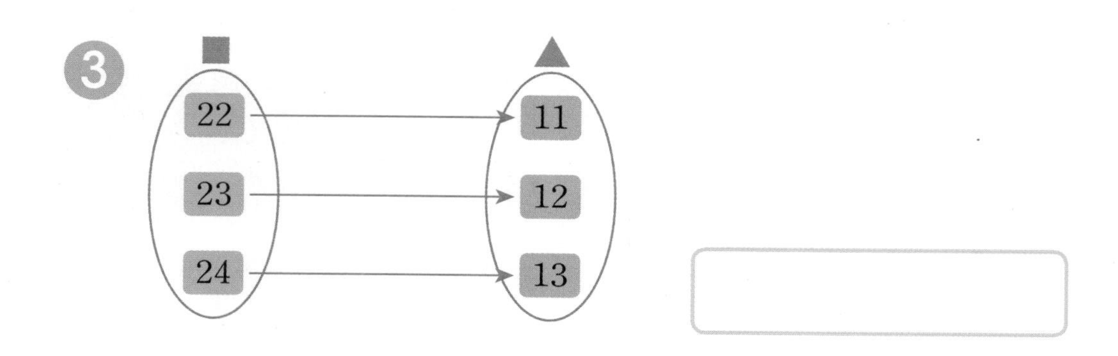

정답과 풀이 p.11

평가 영역 □개념 이해력 □개념 응용력 □창의력 ☑문제 해결력

2

다음과 같은 방법으로 식탁 10개를 한 줄로 길게 이어 붙이면 의자를 몇 개 놓을 수 있는지 구해 보세요.

식탁이 1개일 때

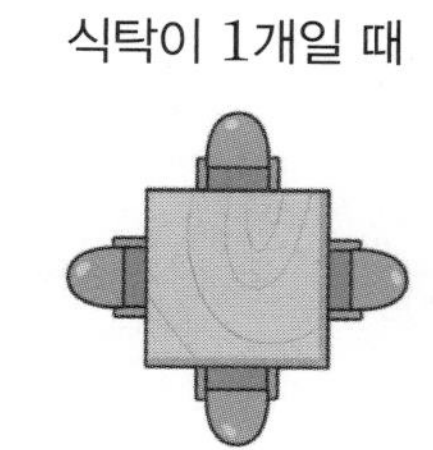

식탁이 2개일 때

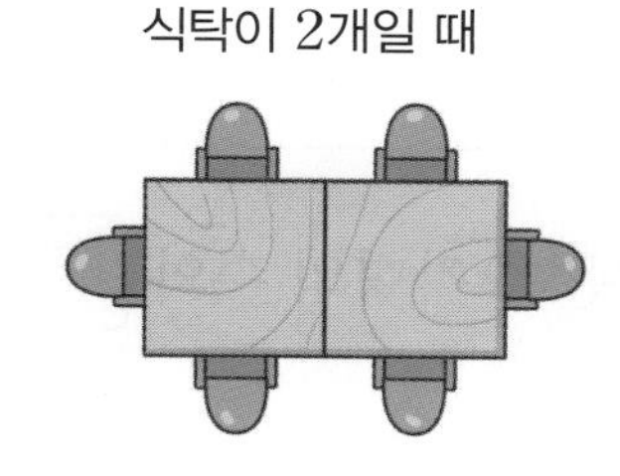

식탁이 3개일 때

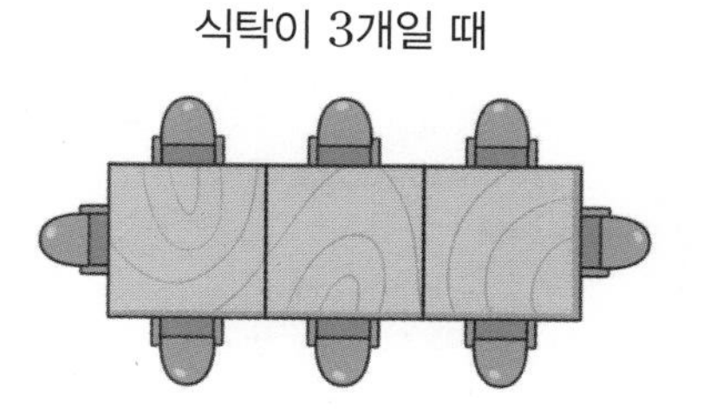

2주 사고력

① 식탁의 수와 의자의 수 사이에는 어떤 대응 관계가 있는지 표를 이용하여 알아보세요.

식탁의 수(개)	1	2	3	4	5	……
의자의 수(개)	4					……

② 식탁이 1개씩 늘어날 때마다 놓을 수 있는 의자는 몇 개씩 늘어날까요?

( )

③ 식탁 10개를 한 줄로 길게 붙이면 의자를 몇 개 놓을 수 있을까요?

( )

양 옆에 있는 의자는 그대로이므로 식탁이 1개 늘어날 때마다 의자는 몇 개씩 늘어나는지 알아보세요.

평가 영역 □개념 이해력 □개념 응용력 □창의력 ☑문제 해결력

3

다음과 같은 방법으로 식탁 8개를 한 줄로 길게 이어 붙이면 의자를 몇 개 놓을 수 있을까요?

식탁이 1개일 때

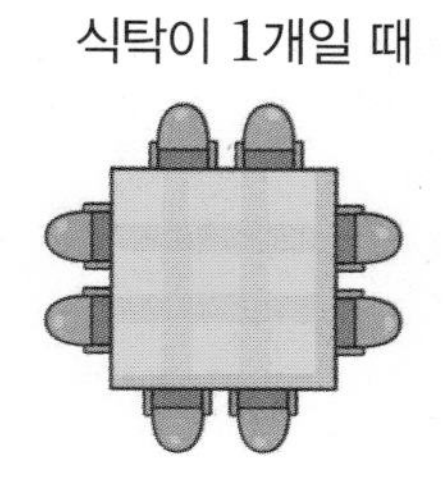

식탁이 2개일 때

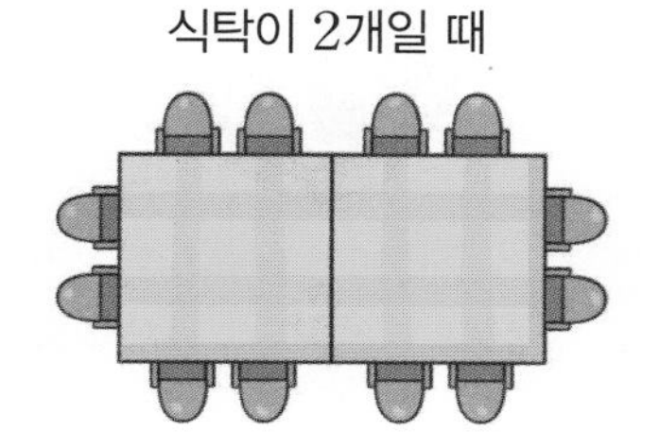

식탁이 3개일 때

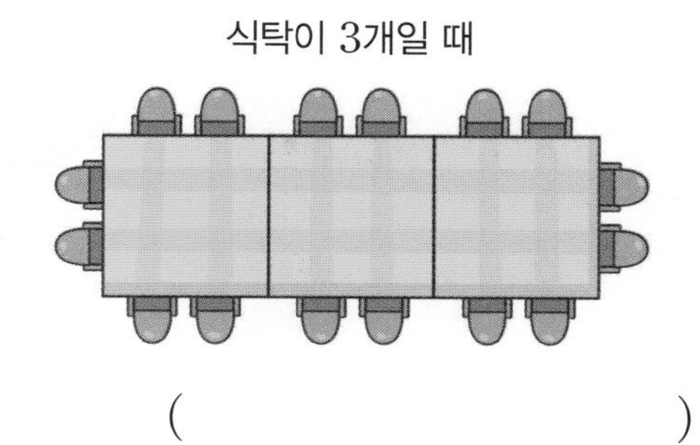

( )

1 표를 보고 □ 안에 알맞은 수를 써넣으세요.

오각형의 수(개)	1	2	3	4	5	6	……
변의 수(개)	5	10	15	20	25	30	……

➜ 변의 수는 오각형의 수의 □배입니다.

2 의자의 수를 ■, 팔걸이의 수를 ▲라고 할 때 의자의 수와 팔걸이의 수 사이의 대응 관계를 써 보고, 두 양 사이의 대응 관계를 기호를 사용하여 식으로 나타내어 보세요.

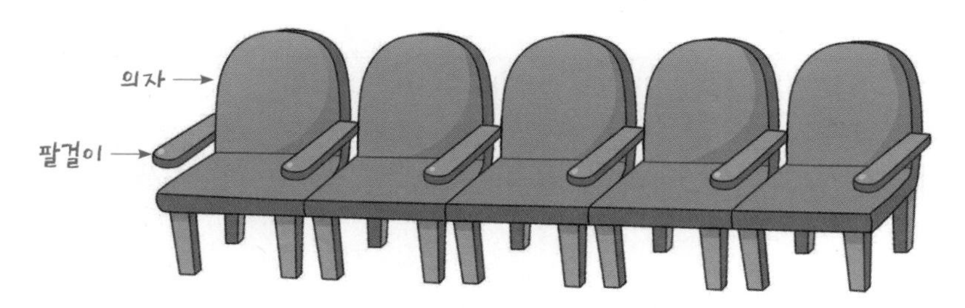

➜ 의자가 1개일 때 팔걸이는 □개이고, 의자의 수가 1개씩 늘어날 때마다 팔걸이의 수도 □개씩 늘어납니다.

식 ________________

3 상자 한 개에 초콜릿이 6개씩 들어 있습니다. 상자의 수를 ■, 초콜릿의 수를 ▲라고 할 때 두 양 사이의 대응 관계를 식으로 나타내어 보세요.

식 ________________

4

■와 ● 사이의 대응 관계를 나타낸 표입니다. 물음에 답하세요.

■	1	2	3	4	5	6	7
●	11	22	33	44	㉠	66	㉡

(1) ㉠, ㉡에 알맞은 수를 각각 구해 보세요.

㉠ (　　　　　　　　)
㉡ (　　　　　　　　)

(2) ■와 ● 사이의 대응 관계를 식으로 바르게 나타낸 것을 찾아 기호를 써 보세요.

㉠ ■×●=11　　㉡ ■÷11=●　　㉢ ●÷11=■

(　　　　　　　　)

5

사각형 조각으로 규칙적인 배열을 만들고 있습니다. 물음에 답하세요.

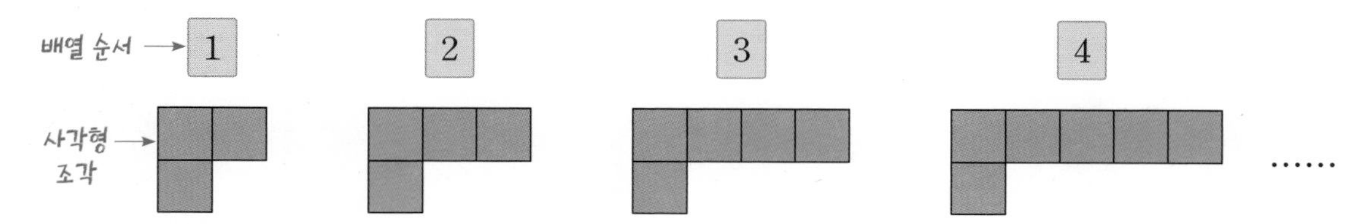

(1) 배열 순서에 따라 사각형 조각의 수가 어떻게 변하는지 표를 이용하여 알아보세요.

배열 순서	1	2	3	4	5	......
사각형 조각의 수(개)						......

(2) 13째에는 사각형 조각이 몇 개가 필요합니까?

(　　　　　　　　)

6

탁자 한 개에 의자가 8개씩 있습니다. 물음에 답하세요.

(1) 탁자의 수를 ◎, 의자의 수를 △라고 할 때 두 양 사이의 대응 관계를 식으로 나타내어 보세요.

식 ____________________

(2) 의자가 96개 있을 때 탁자는 몇 개 있을까요?

(　　　　　　　　)

7

표를 보고 관계있는 것끼리 이어 보세요.

■	4	6	8	10	12
●	2	4	6	8	10

■	3	6	9	12	15
●	6	12	18	24	30

■	2	4	6	8	10
●	6	8	10	12	14

• ■+4=●

• ■×2=●

• 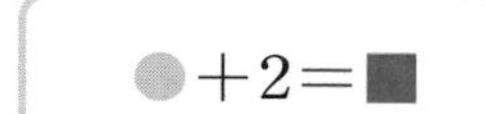

8

그림과 같이 정사각형 모양으로 타일을 놓고 있습니다. 한 변에 놓인 타일의 수를 ◆, 전체 타일의 수를 ◎라고 할 때, 표를 완성하고 □ 안에 알맞은 기호를 써넣으세요.

  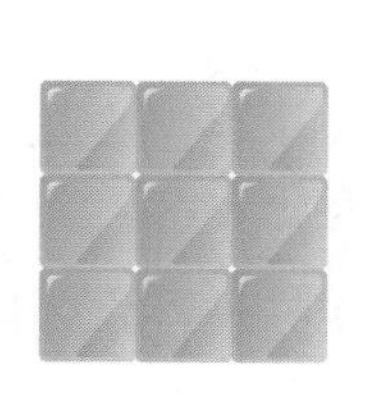 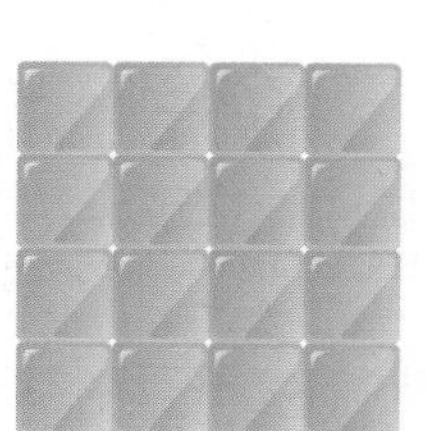 ……

◆	1	2	3	4	5	……
◎	1	4				……

➔ ◆와 ◎ 사이의 대응 관계를 식으로 나타내면 □×□=□입니다.

9 동혁이의 나이와 연도 사이의 대응 관계를 나타낸 표입니다. 물음에 답하세요.

동혁이의 나이(살)	11	12	13	14	……
연도(년)	2018	2019	2020	2021	……

(1) 동혁이의 나이를 ★, 연도를 ●라고 할 때 두 양 사이의 대응 관계를 식으로 나타내어 보세요.

식 ____________________

(2) 동혁이가 20살이 되는 해는 몇 년일까요?

(   )

10 효정이가 말하면 종두가 답한 수를 나타낸 표입니다. 효정이가 말한 수(■)와 종두가 답한 수(▲) 사이의 대응 관계를 기호를 사용하여 식으로 나타내어 보세요.

효정이가 말한 수	3	5	7	9	11
종두가 답한 수	9	11	13	15	17

식 ____________________

11 어느 영화의 상영 시간표입니다. 영화의 시작 시각과 끝나는 시각 사이의 대응 관계를 찾아 □ 안에 알맞은 수를 써넣으세요.

영화 상영 시간표

시작 시각	오후 4시	오후 5시	오후 6시	오후 7시	오후 8시
끝나는 시각	오후 7시	오후 8시	오후 9시	오후 10시	오후 11시

➔ (시작 시각)+□=(끝나는 시각)

12

그림과 같이 점선을 따라 끈을 자르려고 합니다. 끈을 7번 자르면 몇 도막이 되는지 구해 보세요.

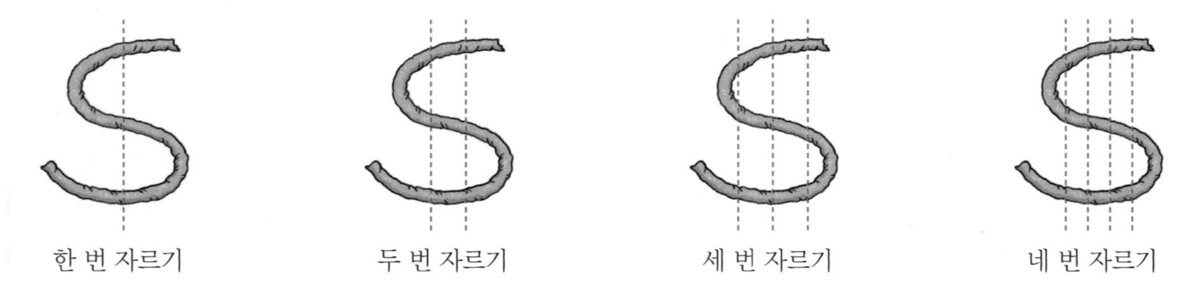

(1) 자른 횟수와 자른 도막의 수 사이의 대응 관계를 표를 이용하여 알아보세요.

자른 횟수(번)	1	2	3	4	5	……
도막의 수(도막)	4	7				……

(2) 자른 횟수가 1번씩 늘어날 때마다 자른 도막의 수는 몇 도막씩 늘어날까요?

( )

(3) 끈을 7번 자르면 몇 도막이 될까요?

( )

13

다음과 같이 한 쪽에 의자를 1개씩 놓을 수 있는 탁자가 있습니다. 탁자 7개를 한 줄로 길게 이어 붙이면 의자를 몇 개 놓을 수 있는지 구해 보세요.

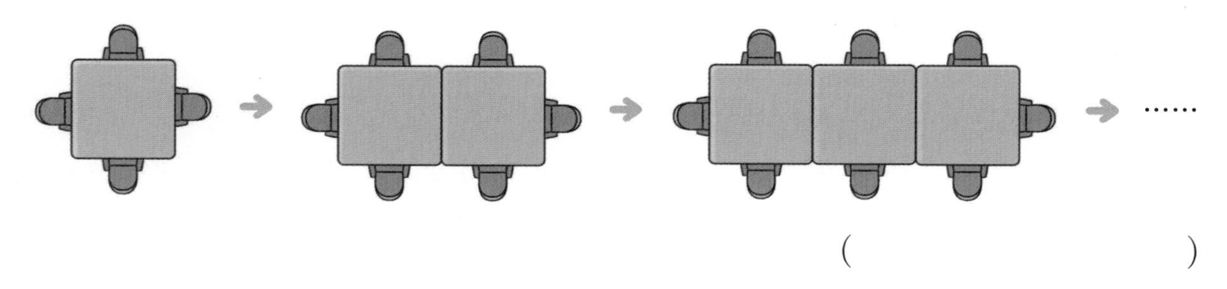

( )

특강 창의·융합 사고력

정답과 풀이 p.12

1 대한민국의 수도인 서울의 시각이 오전 8시일 때 우즈베키스탄의 수도인 타슈켄트의 시각은 오전 4시이고, 이집트의 수도인 카이로의 시각은 오전 1시입니다. 물음에 답하세요.

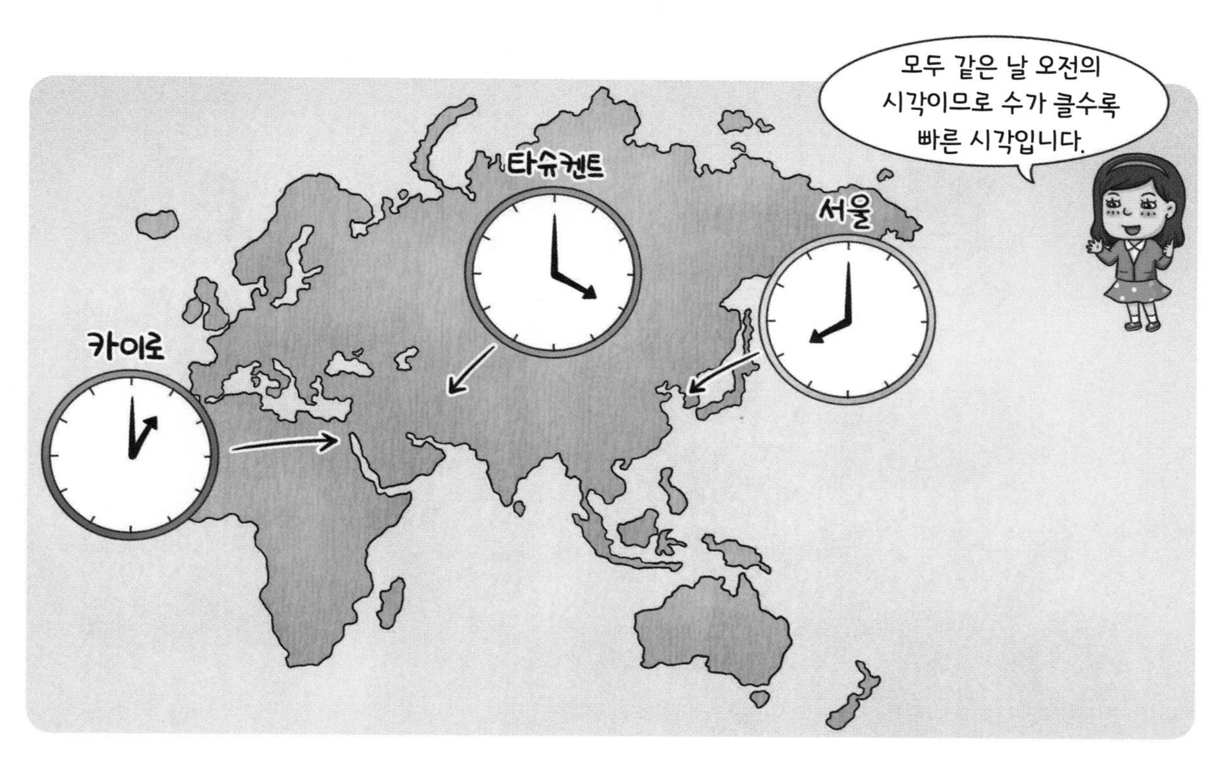

(1) 서울의 시각이 타슈켄트의 시각보다 몇 시간 빠른지 알아보고 서울의 시각을 □, 타슈켄트의 시각을 △라고 할 때 □와 △ 사이의 대응 관계를 식으로 나타내어 보세요.

서울의 시각은 타슈켄트의 시각보다 시간 빠릅니다.

식 ______________________

(2) 서울의 시각이 카이로의 시각보다 몇 시간 빠른지 알아보고 서울의 시각을 □, 카이로의 시각을 ◎라고 할 때 □와 ◎ 사이의 대응 관계를 식으로 나타내어 보세요.

서울의 시각은 카이로의 시각보다 □시간 빠릅니다.

식 

약분과 통분

단원과 관련된
크기가 같은 분수
이야기를 살펴보아요.

생긴 건 달라도 크기가 같은 분수

혜미, 지우, 민규는 다음과 같이 피자를 먹었습니다. 피자를 먹은 조각의 수는 다르지만 남은 피자의 양은 같네요.

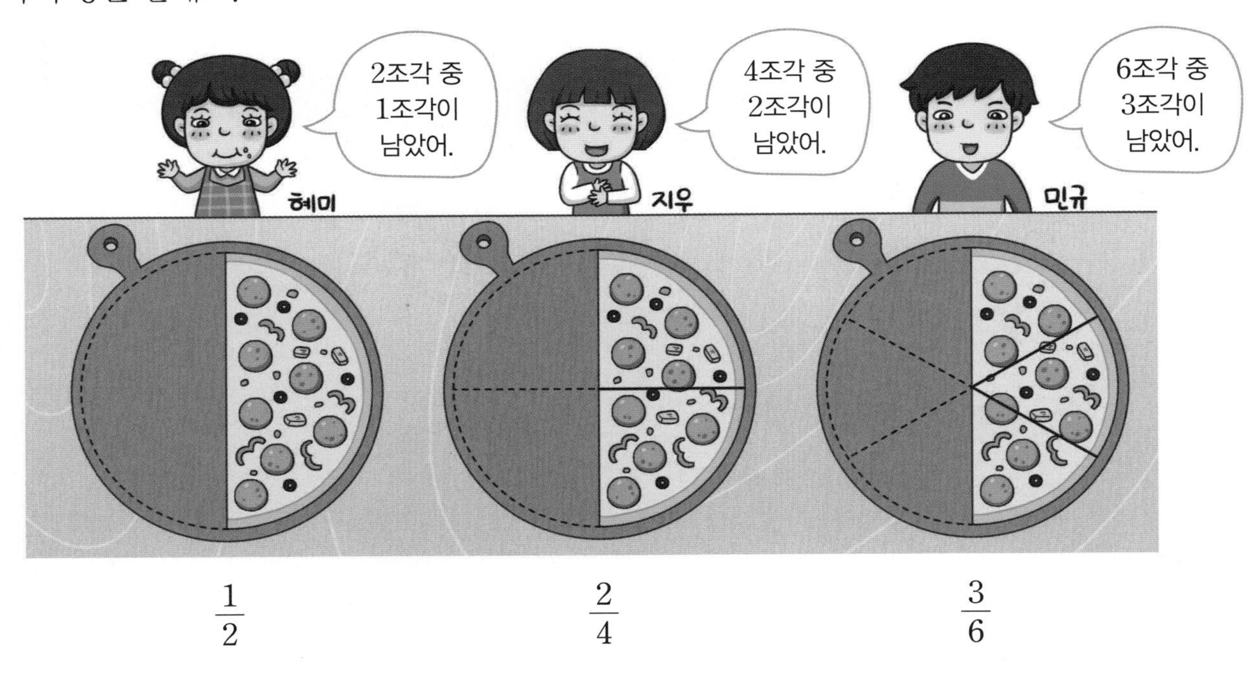
2조각 중
1조각이
남았어.
혜미
4조각 중
2조각이
남았어.
지우
6조각 중
3조각이
남았어.
민규

$\frac{1}{2}$ $\frac{2}{4}$ $\frac{3}{6}$

남은 피자를 나타내는 분수의 모양은 달라도 크기가 같음을 알 수 있습니다.

$$\frac{1}{2}=\frac{2}{4}=\frac{3}{6}$$

혜미가 남긴 피자와 양이 같도록 색칠하고 분수로 나타내어 보세요.

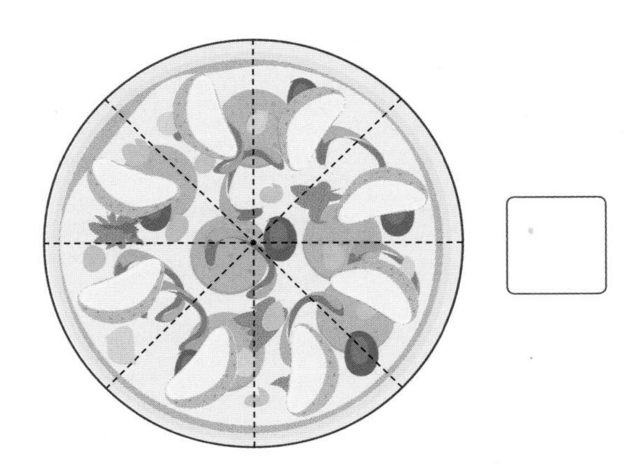

□

모양은 다르지만
크기가 같은 분수들이
많구나!

 분수가 나타내는 크기가 같은 것끼리 선으로 이어 보세요.

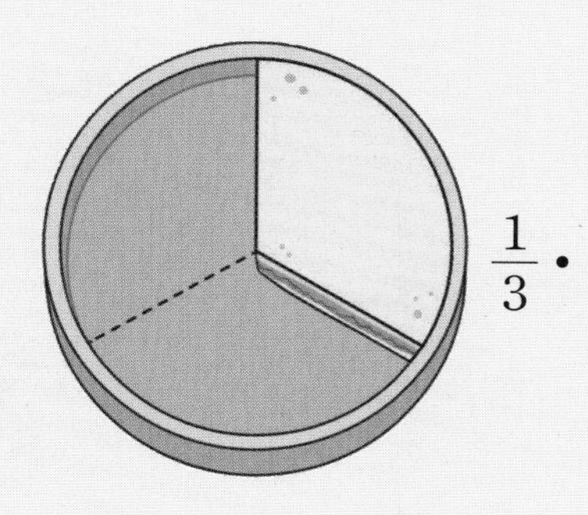

$\frac{1}{3}$ •

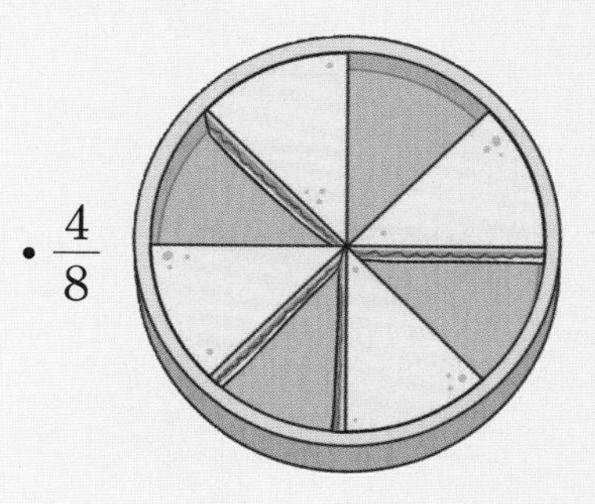

• $\frac{4}{8}$

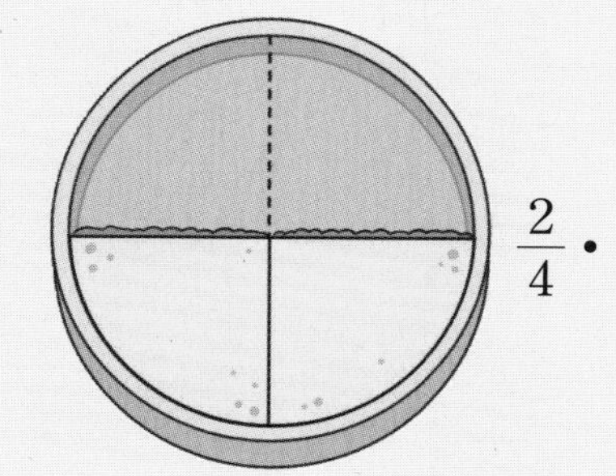

$\frac{2}{4}$ •

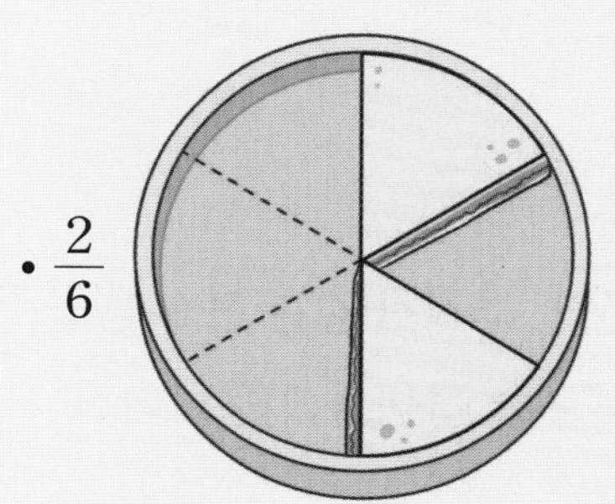

• $\frac{2}{6}$

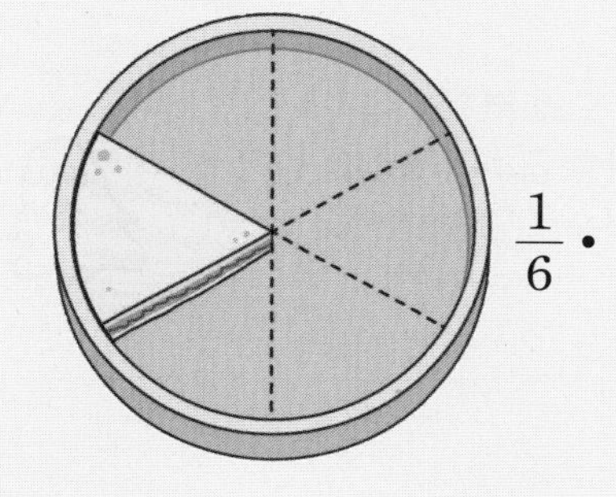

$\frac{1}{6}$ •

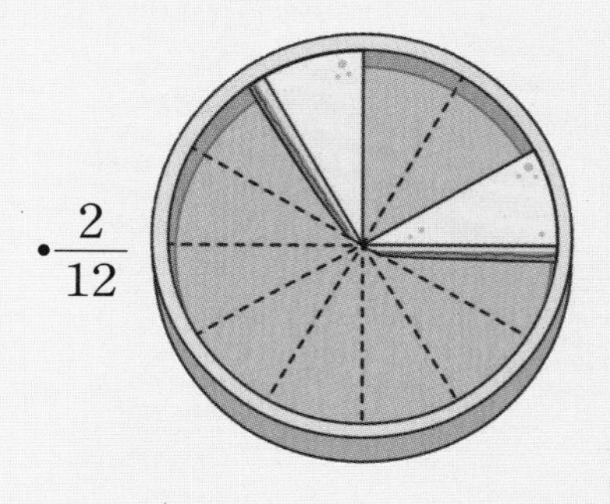

• $\frac{2}{12}$

 주어진 분수에 맞게 색칠해 보세요.

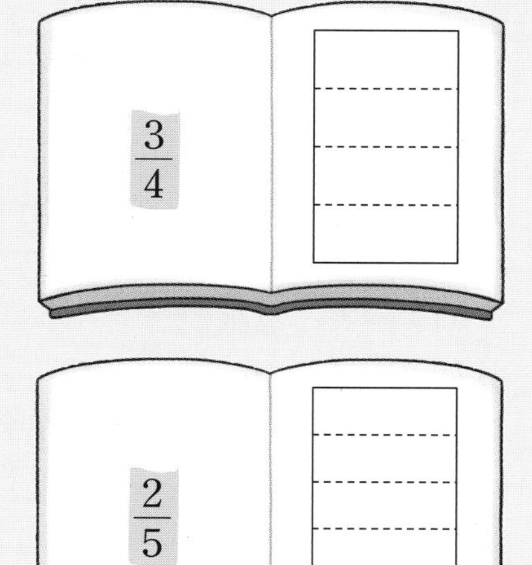

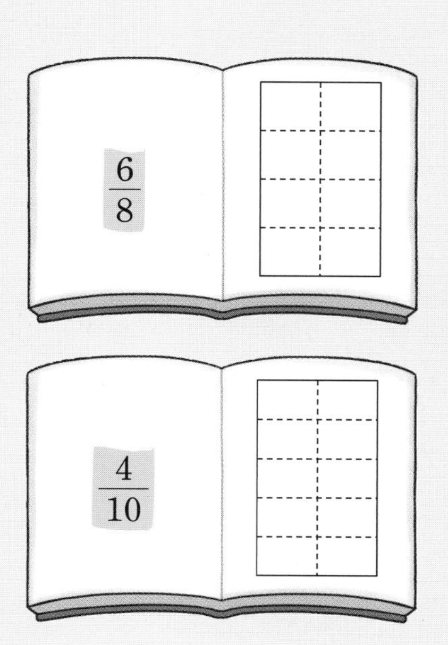

개념 1 크기가 같은 분수 알아보기

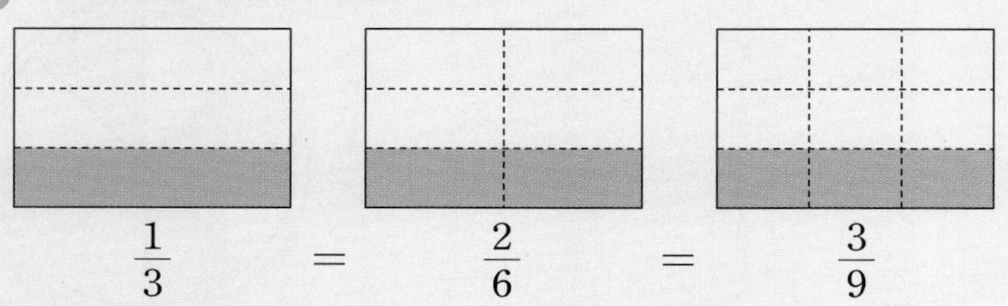

$\frac{1}{3} = \frac{2}{6} = \frac{3}{9}$

$\frac{1}{3}$, $\frac{2}{6}$, $\frac{3}{9}$은 크기가 같은 분수예요.

전체에 대하여 색칠한 부분의 크기가 같으면 크기가 같은 분수입니다.

개념 2 크기가 같은 분수 만들기

방법 1 곱셈을 이용하여 크기가 같은 분수 만들기

분모와 분자에 각각 0이 아닌 같은 수를 곱하면 크기가 같은 분수가 됩니다.

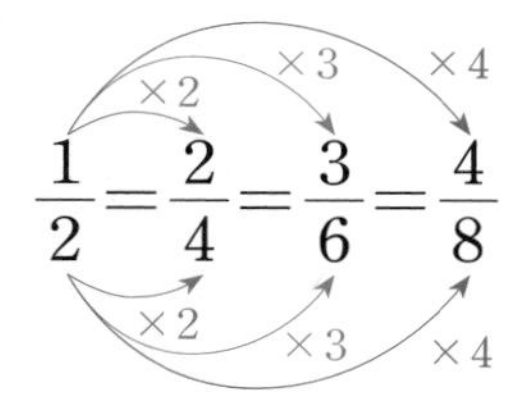

분모와 분자에 각각 2, 3, 4를 곱하여 크기가 같은 분수를 만들었어요.

$\frac{1}{2}$ $\frac{1}{2} = \frac{1 \times 2}{2 \times 2} = \frac{2}{4}$ $\frac{1}{2} = \frac{1 \times 3}{2 \times 3} = \frac{3}{6}$ $\frac{1}{2} = \frac{1 \times 4}{2 \times 4} = \frac{4}{8}$

분모와 분자에 ×2

분모와 분자에 ×3

분모와 분자에 ×4

방법 2 나눗셈을 이용하여 크기가 같은 분수 만들기

분모와 분자를 각각 0이 아닌 같은 수로 나누면 크기가 같은 분수가 됩니다.

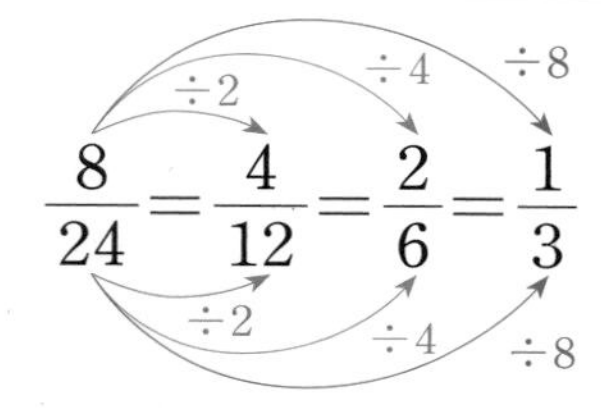

분모와 분자를 각각 2, 4, 8로 나누어 크기가 같은 분수를 만들었어요.

$\frac{8}{24}$ $\frac{8}{24} = \frac{8 \div 2}{24 \div 2} = \frac{4}{12}$ $\frac{8}{24} = \frac{8 \div 4}{24 \div 4} = \frac{2}{6}$ $\frac{8}{24} = \frac{8 \div 8}{24 \div 8} = \frac{1}{3}$

분모와 분자를 ÷2

분모와 분자를 ÷4

분모와 분자를 ÷8

1-1 그림을 보고 크기가 같은 분수를 찾아 □ 안에 알맞은 수를 써넣으세요.

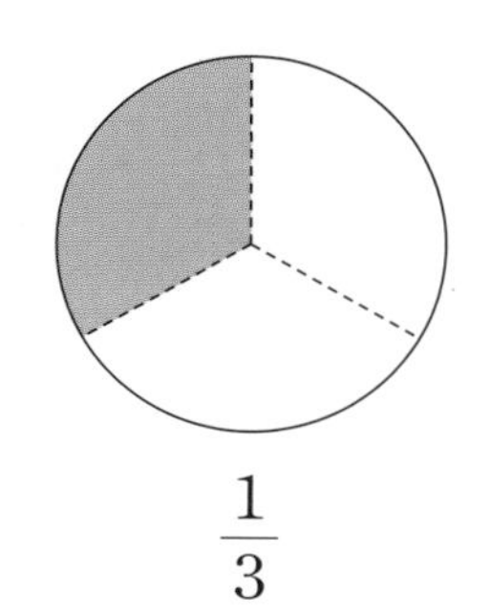
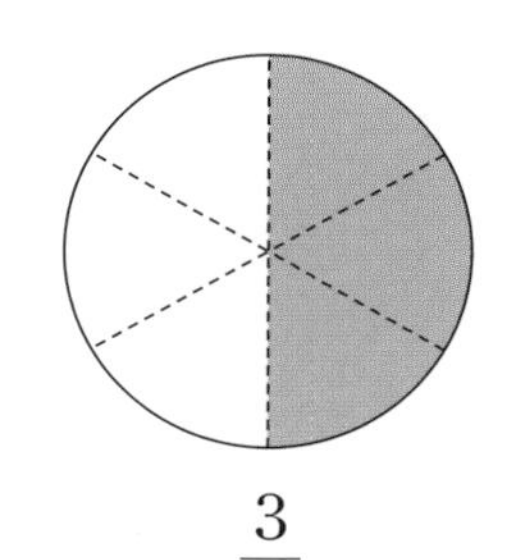
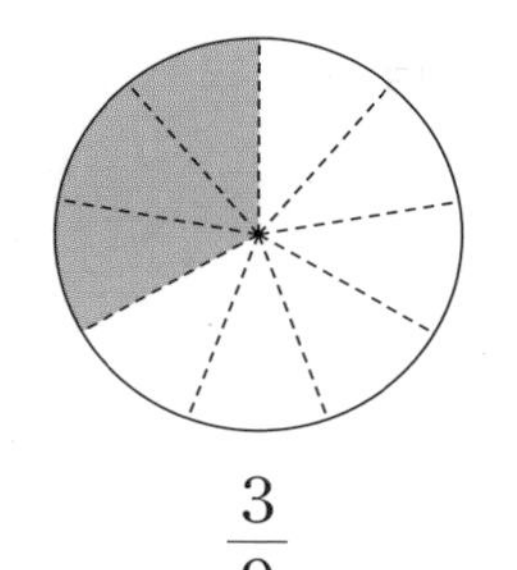

$\frac{1}{3}$ $\frac{3}{6}$ $\frac{3}{9}$

➔ 크기가 같은 분수는 □과 □입니다.

2-1 그림을 보고 크기가 같은 분수가 되도록 □ 안에 알맞은 수를 써넣으세요.

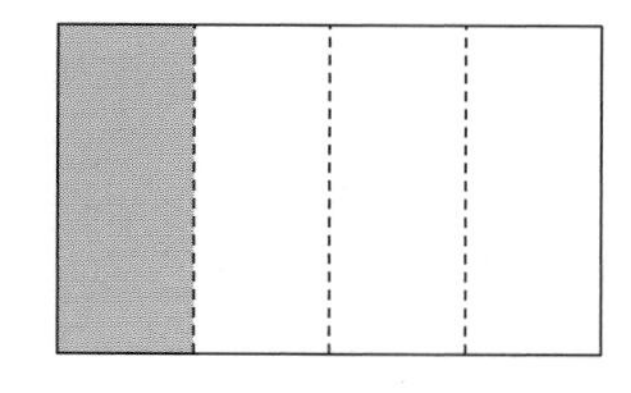
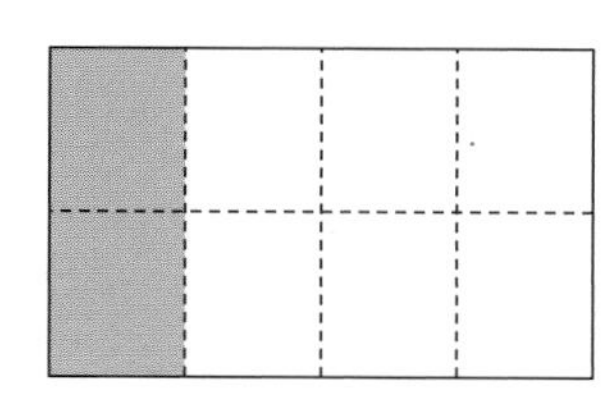
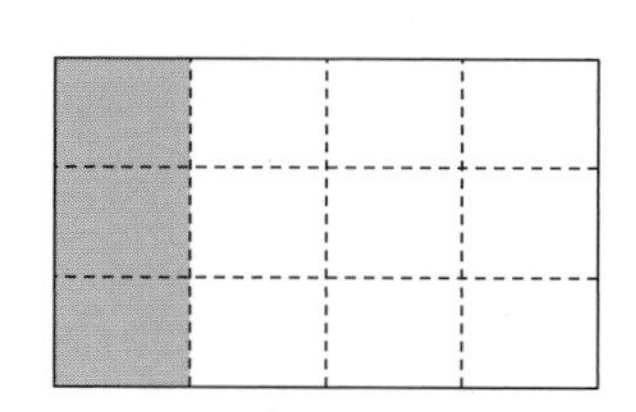

$\frac{1}{4}$

$\frac{1}{4}=\frac{1\times\square}{4\times2}=\frac{\square}{\square}$

$\frac{1}{4}=\frac{1\times\square}{4\times\square}=\frac{\square}{\square}$

2-2 $\frac{18}{24}$과 크기가 같은 분수를 만들려고 합니다. $\frac{18}{24}$과 크기가 같게 수직선에 표시하고, □ 안에 알맞은 수를 써넣어 크기가 같은 분수를 만들어 보세요.

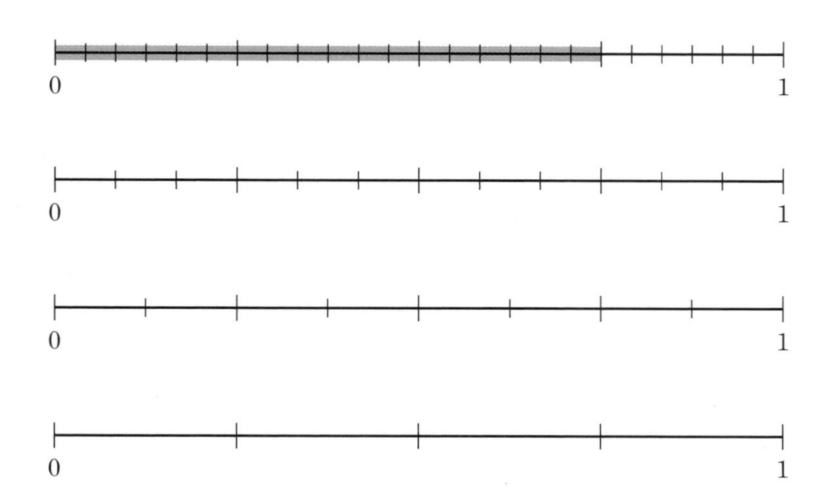

$\frac{18}{24}$

$\frac{18}{24}=\frac{18\div\square}{24\div2}=\frac{\square}{\square}$

$\frac{18}{24}=\frac{18\div\square}{24\div\square}=\frac{\square}{\square}$

$\frac{18}{24}=\frac{18\div\square}{24\div\square}=\frac{\square}{\square}$

1단계 교과서 개념 잡기

개념 3 분수를 간단히 나타내기

- 약분 알아보기

약분: 분모와 분자를 공약수로 나누어 간단한 분수로 만드는 것

예 $\frac{12}{18}$를 약분하기

① 12와 18의 공약수 구하기

→ 1, 2, 3, 6

② 분모와 분자를 공약수로 나누기

$\frac{12}{18}=\frac{12\div2}{18\div2}=\frac{6}{9}$ | $\frac{12}{18}=\frac{12\div3}{18\div3}=\frac{4}{6}$ | $\frac{12}{18}=\frac{12\div6}{18\div6}=\frac{2}{3}$

$\frac{\cancel{12}^{6}}{\cancel{18}_{9}}=\frac{6}{9}$ | $\frac{\cancel{12}^{4}}{\cancel{18}_{6}}=\frac{4}{6}$ | $\frac{\cancel{12}^{2}}{\cancel{18}_{3}}=\frac{2}{3}$

참고 분모와 분자를 1로 나누면 자기 자신이 되므로 1로 나누는 경우는 생각하지 않습니다.

0이 아닌 같은 수로 분모와 분자를 나누면 크기가 같은 분수가 된다고 했어.

그래서 분모와 분자를 공약수로 나누어 약분하는 거야.

- 기약분수 알아보기

기약분수: 분모와 분자의 공약수가 1뿐인 분수

예 $\frac{20}{28}$을 기약분수로 나타내기

방법 1 공약수가 1이 될 때까지 나누기

분모와 분자의 공약수가 1이 될 때까지 나눕니다.

→ $\frac{\cancel{20}^{10}}{\cancel{28}_{14}}=\frac{\cancel{10}^{5}}{\cancel{14}_{7}}=\frac{5}{7}$

방법 2 최대공약수로 나누기

① 20과 28의 최대공약수를 구합니다. → 4

② 분모와 분자를 최대공약수로 나눕니다.

→ $\frac{20}{28}=\frac{20\div4}{28\div4}=\frac{5}{7}$

더 이상 나누어지지 않으면 기약분수예요.

3-1 $\frac{32}{40}$를 약분하려고 합니다. 물음에 답하세요.

(1) 32와 40의 공약수를 모두 구해 보세요.

( )

(2) $\frac{32}{40}$를 약분하여 모두 써 보세요.

$\frac{32}{40} \rightarrow \frac{\square}{\square}, \frac{\square}{\square}, \frac{\square}{\square}$

3-2 분모와 분자를 각각 최대공약수로 나누어 기약분수로 나타내어 보세요.

(1) $\frac{20}{32}=\frac{\square}{\square}$

(2) $\frac{25}{50}=\frac{\square}{\square}$

(3) $\frac{35}{56}=\frac{\square}{\square}$

(4) $\frac{10}{24}=\frac{\square}{\square}$

3-3 보기 와 같이 기약분수로 나타내어 보세요.

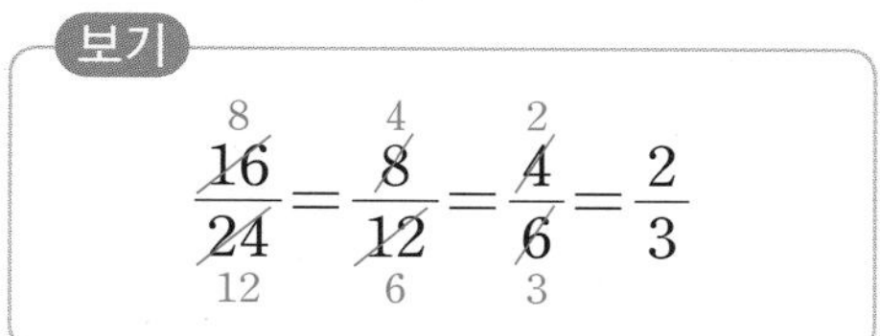

보기

$\frac{\overset{8}{\cancel{16}}}{\underset{12}{\cancel{24}}}=\frac{\overset{4}{\cancel{8}}}{\underset{6}{\cancel{12}}}=\frac{\overset{2}{\cancel{4}}}{\underset{3}{\cancel{6}}}=\frac{2}{3}$

(1) $\frac{45}{60}$

(2) $\frac{36}{90}$

개념 4 분모가 같은 분수로 나타내기

- 통분: 분수의 분모를 같게 하는 것
- 공통분모: 통분한 분모

예 $\frac{5}{6}$와 $\frac{2}{9}$의 분모를 같게 만들기

$\boxed{\frac{5}{6}}=\frac{10}{12}=\frac{15}{18}=\frac{20}{24}=\frac{25}{30}=\frac{30}{36}=\frac{35}{42}=\frac{40}{48}=\frac{45}{54}$……

$\boxed{\frac{2}{9}}=\frac{4}{18}=\frac{6}{27}=\frac{8}{36}=\frac{10}{45}=\frac{12}{54}=\frac{14}{63}$……

$\left(\frac{5}{6}, \frac{2}{9}\right) \rightarrow \left(\frac{15}{18}, \frac{4}{18}\right), \left(\frac{30}{36}, \frac{8}{36}\right), \left(\frac{45}{54}, \frac{12}{54}\right)$……

크기가 같은 분수를 만들어 분모가 같은 분수를 찾아요.

참고 공통분모는 18, 36, 54……로 6과 9의 공배수인 18의 배수입니다.

- 공통분모가 될 수 있는 수 구하기

$\frac{5}{6}$와 $\frac{2}{9}$를 통분할 때 6과 9의 공배수는 18의 배수이므로 공통분모가 될 수 있는 수는 18의 배수인 18, 36, 54……입니다.

예 $\frac{3}{4}$과 $\frac{1}{6}$ 통분하기

방법 1 두 분모의 곱을 공통분모로 하여 통분하기

$\left(\frac{3}{4}, \frac{1}{6}\right) \rightarrow \left(\frac{3\times6}{4\times6}, \frac{1\times4}{6\times4}\right) \rightarrow \left(\frac{18}{24}, \frac{4}{24}\right)$

방법 2 두 분모의 최소공배수를 공통분모로 하여 통분하기

① 4와 6의 최소공배수 구하기

2) 4 6
   2 3 → 최소공배수: $2\times2\times3=12$

② 통분하기

$\left(\frac{3}{4}, \frac{1}{6}\right) \rightarrow \left(\frac{3\times3}{4\times3}, \frac{1\times2}{6\times2}\right) \rightarrow \left(\frac{9}{12}, \frac{2}{12}\right)$

두 분모의 공약수가 1뿐인 두 분수를 통분할 때는 두 분모의 곱을 공통분모로 하면 편리해요.

참고 분모가 작을 때는 두 분모의 곱을 공통분모로 하고, 분모가 클 때는 두 분모의 최소공배수를 공통분모로 하여 통분하는 것이 편리합니다.

3 주
교과서

4-1 $\frac{1}{2}$과 $\frac{2}{3}$를 분모가 같은 분수로 나타내려고 합니다. □ 안에 알맞은 수를 써넣으세요.

$$\frac{1}{2}=\frac{2}{4}=\frac{3}{6}=\frac{\square}{8}=\frac{\square}{10}=\frac{\square}{12}=\frac{\square}{14}=\frac{\square}{16}=\frac{\square}{18}\cdots\cdots$$

$$\frac{2}{3}=\frac{4}{6}=\frac{\square}{9}=\frac{\square}{12}=\frac{\square}{15}=\frac{\square}{18}=\frac{\square}{21}\cdots\cdots$$

➔ 두 분수를 분모가 같은 분수끼리 짝 지으면

$\left(\frac{\square}{6}, \frac{\square}{6}\right)$, $\left(\frac{\square}{12}, \frac{\square}{\square}\right)$, $\left(\frac{\square}{18}, \frac{\square}{\square}\right)$입니다.

4-2 두 분모의 곱을 공통분모로 하여 통분해 보세요.

(1) $\left(\frac{1}{3}, \frac{3}{4}\right) \rightarrow \left(\frac{\square}{\square}, \frac{\square}{\square}\right)$

(2) $\left(\frac{4}{7}, \frac{2}{5}\right) \rightarrow \left(\frac{\square}{\square}, \frac{\square}{\square}\right)$

4-3 두 분모의 최소공배수를 공통분모로 하여 통분해 보세요.

(1) $\left(\frac{2}{9}, \frac{5}{12}\right) \rightarrow \left(\frac{\square}{\square}, \frac{\square}{\square}\right)$

(2) $\left(\frac{5}{6}, \frac{3}{8}\right) \rightarrow \left(\frac{\square}{\square}, \frac{\square}{\square}\right)$

4-4 두 분수를 통분하려고 합니다. 공통분모가 될 수 있는 수에 모두 ○표 하세요.

$\frac{13}{24}$ $\frac{25}{36}$

64 72 108 144

개념 5 분수의 크기 비교하기

- 두 분수의 크기 비교

분모가 다른 두 분수는 통분하여 분자의 크기를 비교합니다.

예 $\left(\frac{3}{4}, \frac{5}{7}\right) \rightarrow \left(\frac{3\times7}{4\times7}, \frac{5\times4}{7\times4}\right) \rightarrow \left(\frac{21}{28}, \frac{20}{28}\right) \rightarrow \frac{21}{28} > \frac{20}{28} \rightarrow \frac{3}{4} > \frac{5}{7}$

참고 공통분모가 두 분모의 곱이라면 ✕ 모양으로 곱하여 비교할 수 있습니다.

$\frac{3}{4} \times \frac{5}{7} \rightarrow 21 > 20 \rightarrow \frac{3}{4} > \frac{5}{7}$

- 세 분수의 크기 비교

분모가 다른 세 분수는 두 분수끼리 통분하여 차례로 크기를 비교합니다.

예 $\frac{1}{3}, \frac{3}{4}, \frac{1}{5}$의 크기 비교하기

$\left(\frac{1}{3}, \frac{3}{4}\right) \rightarrow \left(\frac{4}{12}, \frac{9}{12}\right) \rightarrow \frac{1}{3} < \frac{3}{4}$

$\left(\frac{3}{4}, \frac{1}{5}\right) \rightarrow \left(\frac{15}{20}, \frac{4}{20}\right) \rightarrow \frac{3}{4} > \frac{1}{5}$

$\left(\frac{1}{3}, \frac{1}{5}\right) \rightarrow \left(\frac{5}{15}, \frac{3}{15}\right) \rightarrow \frac{1}{3} > \frac{1}{5}$

$\rightarrow \frac{3}{4} > \frac{1}{3} > \frac{1}{5}$

개념 6 분수와 소수의 크기 비교하기

- 분수와 소수의 관계

분모가 10인 분수는 소수 한 자리 수로, 소수 한 자리 수는 분모가 10인 분수로 나타낼 수 있습니다.

0	$\frac{1}{10}$	$\frac{2}{10}$	$\frac{3}{10}$	$\frac{4}{10}$	$\frac{5}{10}$	$\frac{6}{10}$	$\frac{7}{10}$	$\frac{8}{10}$	$\frac{9}{10}$	1
0	0.1	0.2	0.3	0.4	0.5	0.6	0.7	0.8	0.9	1

- 분수와 소수의 크기 비교

예 $\frac{3}{4}$과 0.7의 크기 비교하기

$\left(\frac{3}{4}, 0.7\right) \rightarrow \left(\frac{3}{4}, \frac{7}{10}\right) \rightarrow \left(\frac{15}{20}, \frac{14}{20}\right) \rightarrow \frac{15}{20} > \frac{14}{20} \rightarrow \frac{3}{4} > 0.7$

소수를 분수로

예 $\frac{3}{5}$과 0.8의 크기 비교하기

$\left(\frac{3}{5}, 0.8\right) \rightarrow \left(\frac{6}{10}, 0.8\right) \rightarrow (0.6, 0.8) \rightarrow 0.6 < 0.8 \rightarrow \frac{3}{5} < 0.8$

분수를 소수로

5-1 □ 안에 알맞은 수를 써넣고 ○ 안에 >, =, <를 알맞게 써넣으세요.

(1) $\left(\frac{7}{12}, \frac{5}{8}\right) \rightarrow \left(\frac{\square}{24}, \frac{\square}{24}\right) \rightarrow \frac{7}{12} \bigcirc \frac{5}{8}$

(2) $\left(\frac{5}{6}, \frac{11}{15}\right) \rightarrow \left(\frac{\square}{30}, \frac{\square}{30}\right) \rightarrow \frac{5}{6} \bigcirc \frac{11}{15}$

5-2 세 분수 $\frac{3}{5}$, $\frac{1}{3}$, $\frac{7}{10}$의 크기를 비교하려고 합니다. □ 안에 알맞은 수를 써넣고 ○ 안에 >, =, <를 알맞게 써넣으세요.

$\left(\frac{3}{5}, \frac{1}{3}\right) \rightarrow \left(\frac{\square}{15}, \frac{\square}{15}\right) \rightarrow \frac{3}{5} \bigcirc \frac{1}{3}$

$\left(\frac{1}{3}, \frac{7}{10}\right) \rightarrow \left(\frac{\square}{30}, \frac{\square}{30}\right) \rightarrow \frac{1}{3} \bigcirc \frac{7}{10}$

$\left(\frac{3}{5}, \frac{7}{10}\right) \rightarrow \left(\frac{\square}{10}, \frac{\square}{10}\right) \rightarrow \frac{3}{5} \bigcirc \frac{7}{10}$

$\rightarrow \square > \square > \square$

6-1 분수를 분모가 10인 분수로 고치고, 소수로 나타내어 보세요.

(1) $\frac{1}{2} = \frac{1 \times \square}{2 \times \square} = \frac{\square}{\square} = \square$

(2) $\frac{2}{5} = \frac{2 \times \square}{5 \times \square} = \frac{\square}{\square} = \square$

6-2 □ 안에 알맞은 수를 써넣고, 두 수의 크기를 비교해 보세요.

(1) $\left(\frac{1}{4}, 0.2\right) \rightarrow \left(\frac{\square}{100}, 0.2\right) \rightarrow (\square, 0.2) \rightarrow \frac{1}{4} \bigcirc 0.2$

(2) $\left(0.7, \frac{1}{2}\right) \rightarrow \left(\frac{\square}{10}, \frac{1}{2}\right) \rightarrow \left(\frac{\square}{10}, \frac{\square}{10}\right) \rightarrow 0.7 \bigcirc \frac{1}{2}$

PLAY 교과서 개념 스토리

크기가 같은 핫도그 찾기

준비물 붙임딱지

핫도그 주문이 많이 들어왔습니다. 같은 바구니에 담겨 있는 핫도그는 쓰여 있는 분수의 크기가 모두 같도록 붙임딱지를 붙여 주문 받은 핫도그를 완성해 보세요.

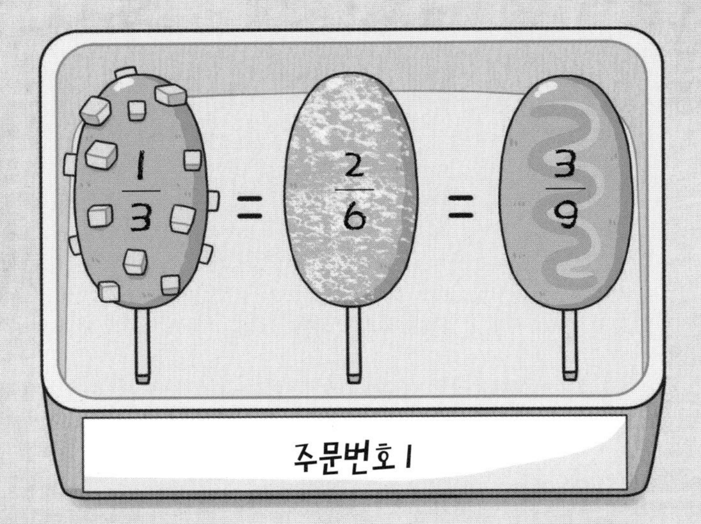

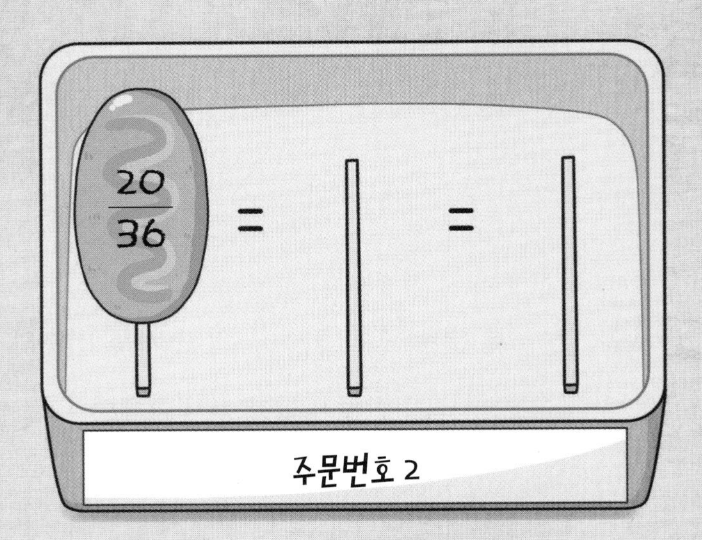

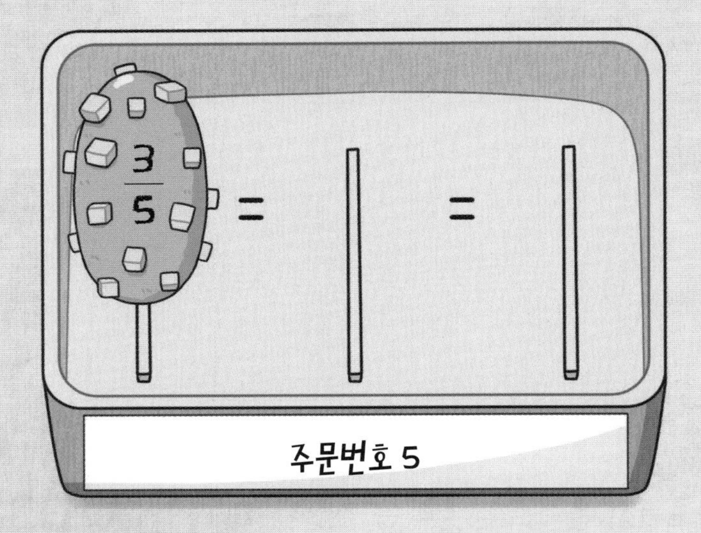

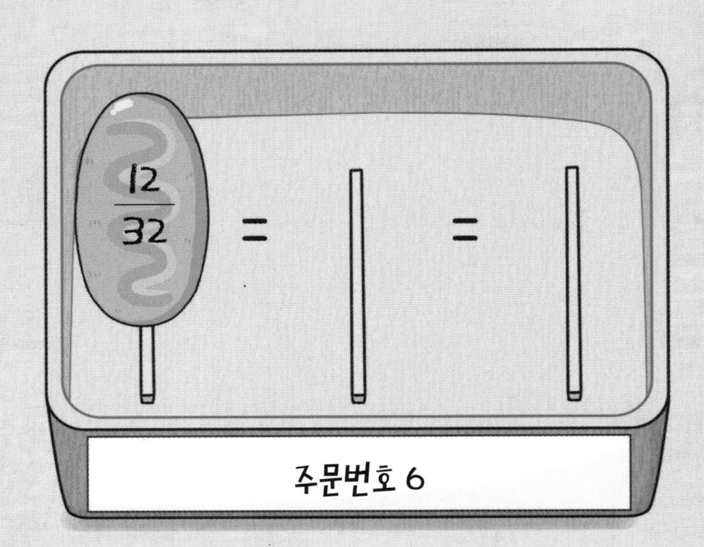

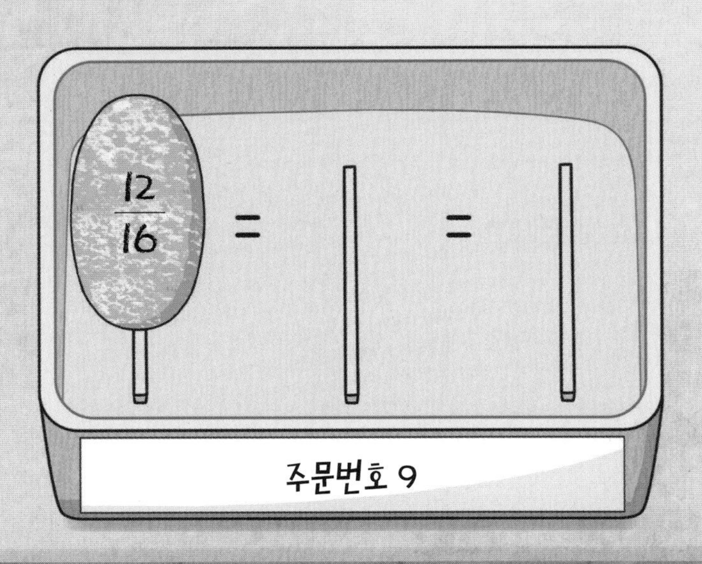

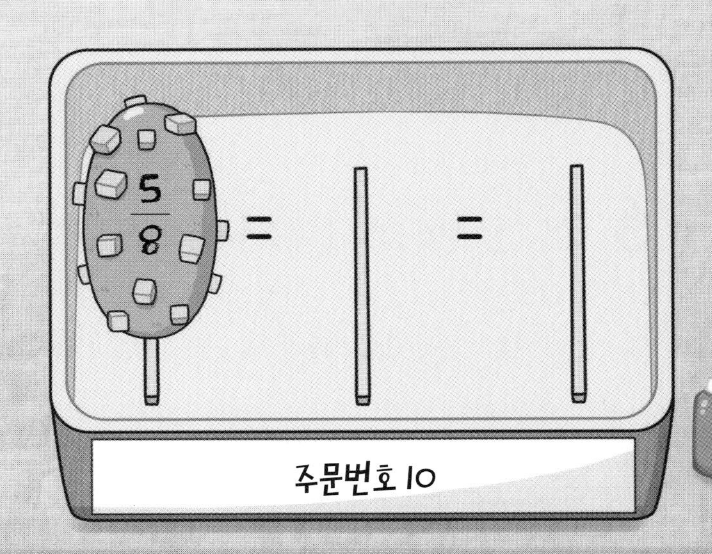

오리지널

감자 핫도그

케첩 + 머스터드

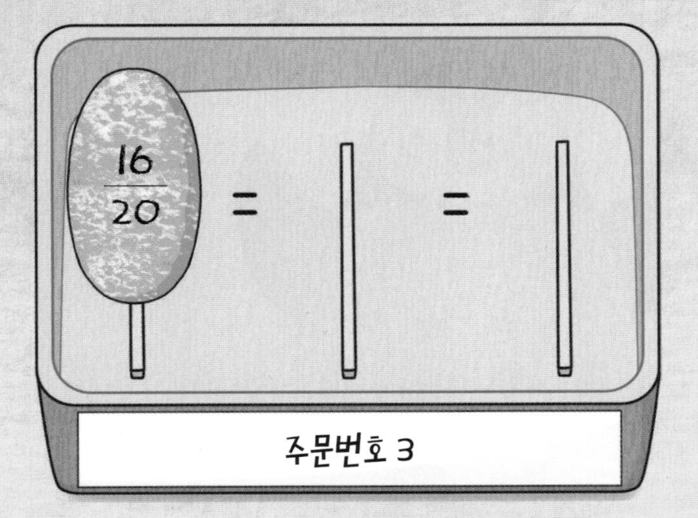

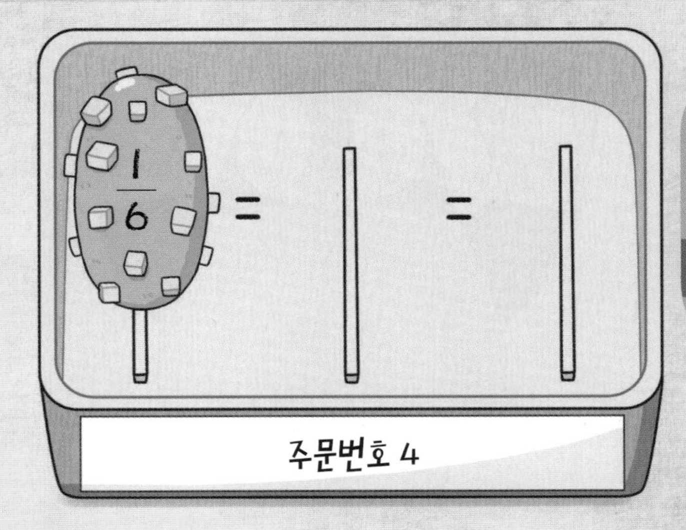

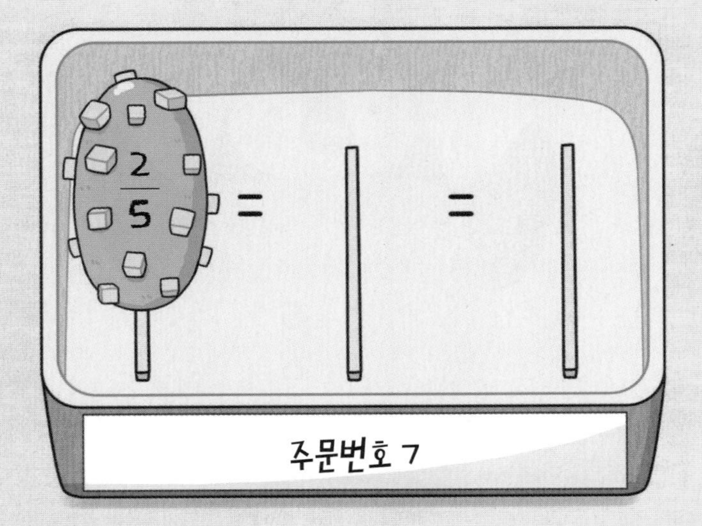

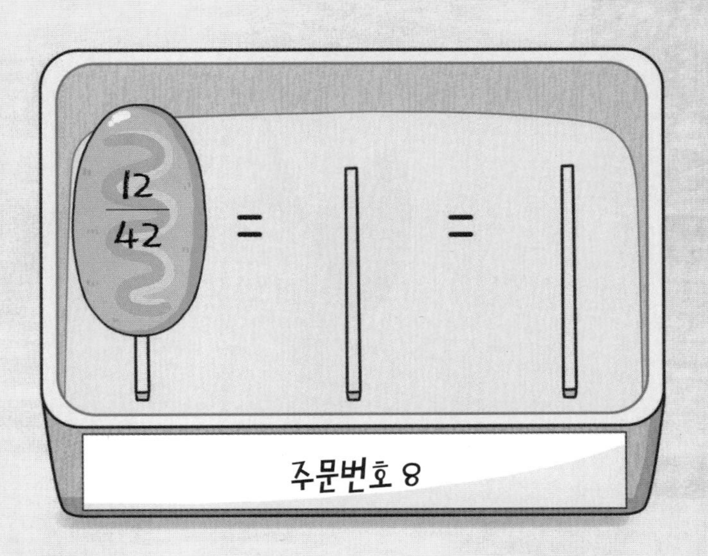

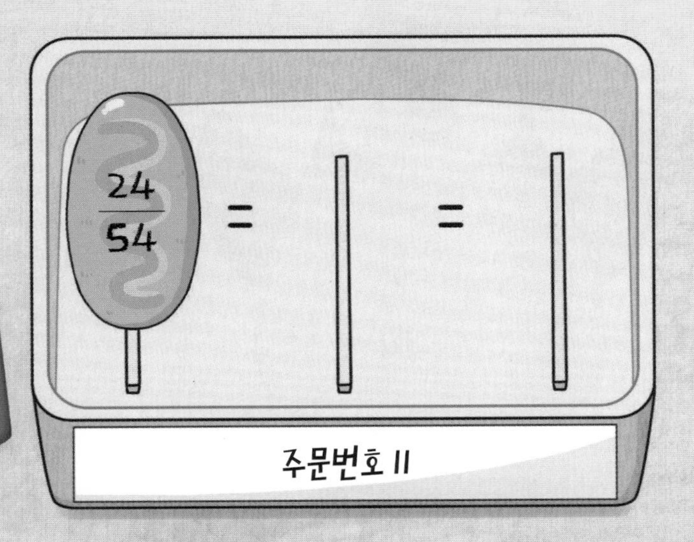

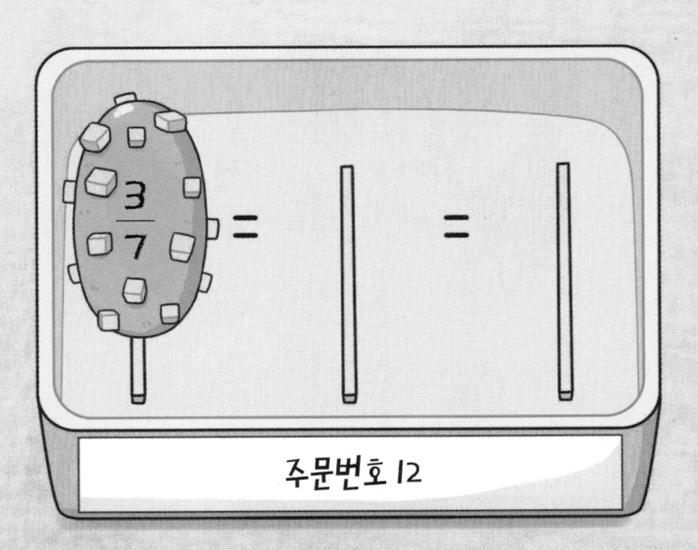

PLAY 교과서 개념 스토리

펭귄의 외출

준비물 붙임딱지

펭귄이 외출할 수 있도록 알맞은 장갑을 끼워 주고 신발을 신겨 주세요. 장갑은 두 분모의 최소공배수를 공통분모로, 신발은 두 분모의 곱을 공통분모로 하여 통분한 것을 찾아 알맞게 붙임딱지를 붙여 보세요.

$\frac{5}{6}$, $\frac{3}{10}$

$\frac{2}{3}$, $\frac{1}{12}$

$\frac{3}{5}$, $\frac{9}{20}$

$\frac{5}{6}$, $\frac{4}{9}$

$\frac{5}{9}$, $\frac{7}{15}$

$\frac{7}{15}$, $\frac{3}{5}$

2단계 교과서 개념 다지기

개념 1 크기가 같은 분수

01 분수만큼 색칠하고 □ 안에 알맞은 수를 써넣으세요.

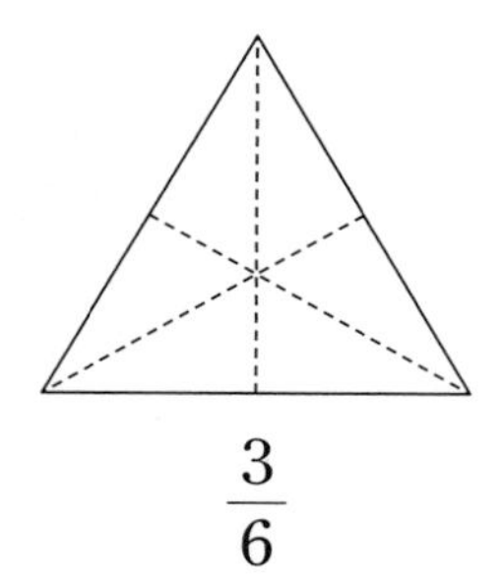

$\frac{3}{6}$

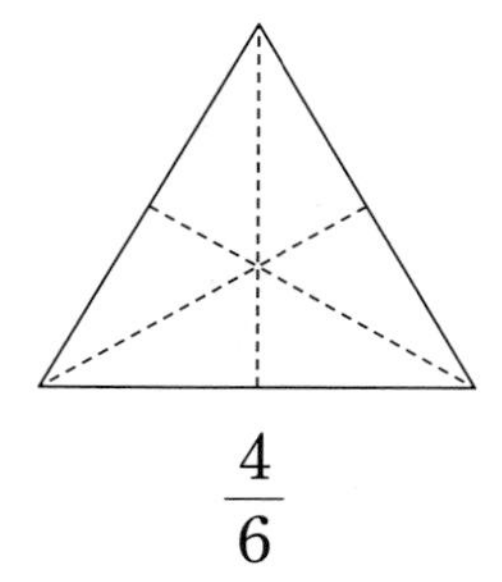

$\frac{4}{6}$

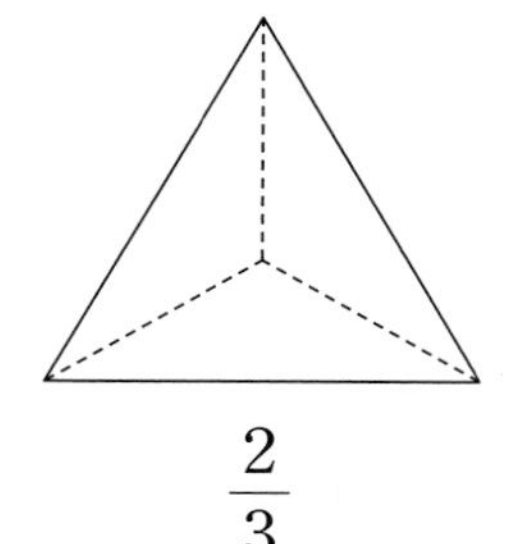

$\frac{2}{3}$

➔ 크기가 같은 분수는 □ 와(과) □ 입니다.

02 □ 안에 알맞은 수를 써넣어 크기가 같은 분수를 만들어 보세요.

(1) $\frac{2}{7}=\frac{4}{\square}=\frac{\square}{21}=\frac{\square}{28}$

(2) $\frac{30}{45}=\frac{\square}{15}=\frac{6}{\square}=\frac{\square}{3}$

03 크기가 같은 분수끼리 짝 지어진 것을 찾아 기호를 써 보세요.

㉠ $\left(\frac{2}{7}, \frac{8}{21}\right)$ ㉡ $\left(\frac{2}{3}, \frac{8}{12}\right)$ ㉢ $\left(\frac{5}{18}, \frac{15}{36}\right)$

( )

개념 2 분수 약분하기

04 $\frac{27}{72}$을 약분하려고 합니다. 1을 제외하고 분모와 분자를 나눌 수 있는 수를 모두 구해 보세요.

(　　　　　　　　)

05 분수를 약분해 보세요.

(1) $\frac{14}{30}=\frac{\square}{15}$　　　　(2) $\frac{16}{48}=\frac{2}{\square}$

06 $\frac{25}{30}$의 분모와 분자를 어떤 수로 나누어 약분했더니 $\frac{5}{6}$가 되었습니다. 어떤 수로 나누었는지 구해 보세요.

(　　　　　　　　)

07 $\frac{12}{16}$를 약분하여 나타낼 수 있는 분수 중에서 분모가 8인 분수를 써 보세요.

(　　　　　　　　)

개념 3 기약분수로 나타내기

08 기약분수를 찾아 기호를 써 보세요.

㉠ $\frac{3}{9}$ ㉡ $\frac{8}{14}$ ㉢ $\frac{7}{10}$ ㉣ $\frac{6}{6}$

( )

09 기약분수로 나타내어 보세요.

(1) $\frac{15}{25}$ ( ) (2) $\frac{32}{56}$ ( )

10 분모가 10인 진분수 중에서 기약분수를 모두 찾아 써 보세요.

( )

11 $\frac{●}{■}$는 기약분수입니다. 이 분수의 분모인 ■와 분자인 ●의 공약수를 구해 보세요.

( )

개념 4 분수 통분하기

12 두 분수를 통분하려고 합니다. 공통분모가 될 수 있는 수를 작은 수부터 차례로 3개 써 보세요.

$\frac{4}{9}$, $\frac{11}{15}$

(　　　　　　　　　　)

13 두 분수를 통분한 것을 찾아 선으로 이어 보세요.

$\left(\frac{5}{6}, \frac{5}{8}\right)$ •		• $\left(\frac{18}{24}, \frac{4}{24}\right)$
$\left(\frac{3}{4}, \frac{1}{6}\right)$ •		• $\left(\frac{8}{36}, \frac{15}{36}\right)$
$\left(\frac{2}{9}, \frac{5}{12}\right)$ •		• $\left(\frac{20}{24}, \frac{15}{24}\right)$

14 두 분모의 최소공배수를 공통분모로 하여 통분해 보세요.

(1) $\left(\frac{5}{12}, \frac{7}{10}\right) \rightarrow \left(\quad , \quad\right)$

(2) $\left(\frac{7}{16}, \frac{11}{24}\right) \rightarrow \left(\quad , \quad\right)$

15 두 분수를 통분한 것입니다. □ 안에 알맞은 수를 써넣으세요.

$\left(\frac{\square}{5}, \frac{\square}{8}\right) \rightarrow \left(\frac{64}{80}, \frac{70}{\square}\right)$

개념 5 분수의 크기 비교하기

16 두 분수의 크기를 비교하여 더 큰 분수를 두 분수의 위에 있는 □ 안에 써넣으세요.

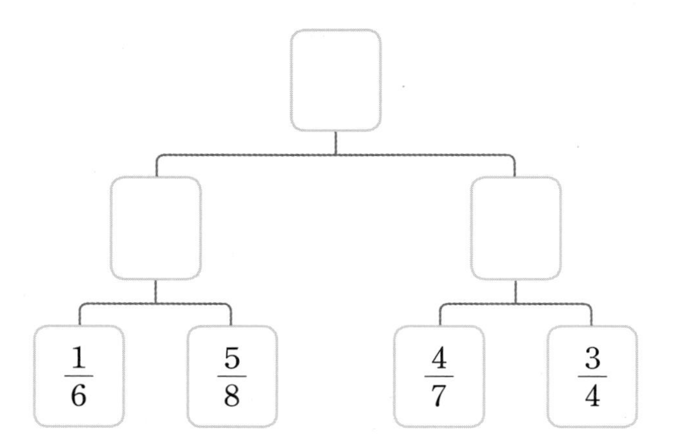

17 세 분수의 크기를 비교하여 □ 안에 작은 분수부터 차례로 써넣으세요.

$\left(\frac{3}{5}, \frac{2}{3}, \frac{8}{15}\right)$ ➜ □ < □ < □

18 $\frac{3}{10}$보다 크고 $\frac{3}{8}$보다 작은 분수 중에서 분모가 40인 분수를 모두 구해 보세요.

( )

19 수박의 무게는 $1\frac{5}{9}$ kg이고, 파인애플의 무게는 $1\frac{7}{12}$ kg입니다. 어느 것이 더 무거울까요?

( )

개념 6 분수와 소수의 크기 비교하기

20 분수와 소수의 크기를 비교하여 더 큰 것에 ○표 하세요.

(1) $1.5 \quad 1\frac{2}{5}$

(2) $2\frac{3}{4} \quad 2.6$

21 두 수의 크기를 비교하여 ○ 안에 >, =, <를 알맞게 써넣으세요.

(1) $\frac{7}{10}$ ○ 0.8

(2) 0.5 ○ $\frac{2}{5}$

(3) 1.21 ○ $1\frac{11}{50}$

(4) $\frac{3}{4}$ ○ 0.7

22 분수와 소수의 크기를 비교하여 작은 수부터 차례로 써 보세요.

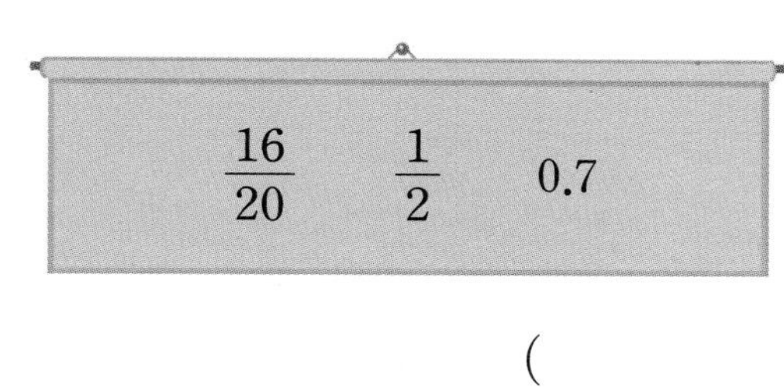

(　　　　　　　　　　　)

23 오늘 영진이는 물을 $1\frac{17}{20}$ L, 동혁이는 1.9 L 마셨습니다. 물을 더 많이 마신 사람은 누구일까요?

(　　　　　　　　　　　)

3단계 교과서 실력 다지기

수 카드로 기약분수 만들기

1 수 카드가 4장 있습니다. 이 중 2장을 뽑아 한 번씩만 사용하여 진분수를 만들려고 합니다. 만들 수 있는 진분수 중에서 기약분수를 모두 써 보세요.

답 

개념 피드백

• 수 카드로 만들 수 있는 기약분수 찾기

① 만들 수 있는 진분수를 모두 구합니다.

② ①에서 만든 진분수 중에서 분모와 분자의 공약수가 1뿐인 기약분수를 찾습니다.

1-1 수 카드가 4장 있습니다. 이 중에서 2장을 뽑아 한 번씩만 사용하여 진분수를 만들려고 합니다. 만들 수 있는 진분수 중에서 기약분수는 몇 개일까요?

(　　　　　　　　)

1-2 수 카드가 3장 있습니다. 이 중에서 2장을 뽑아 한 번씩만 사용하여 진분수를 만들려고 합니다. 만들 수 있는 진분수 중에서 가장 큰 기약분수는 무엇일까요?

(　　　　　　　　)

조건을 만족하는 분수 구하기

2 분모와 분자의 합이 44이고 약분하여 $\frac{4}{7}$가 되는 분수는 얼마인지 구해 보세요.

개념 피드백

• 분모와 분자의 합이 ★이고 주어진 분수와 크기가 같은 분수 구하는 방법

① 주어진 분수와 크기가 같은 분수들을 씁니다.

② ①에서 쓴 분수 중에서 분모와 분자의 합이 ★인 분수를 찾습니다.

$\frac{4}{7}$와 크기가 같으면서 분모와 분자의 합이 44가 되는 분수를 찾는구나!

2-1 $\frac{5}{6}$와 크기가 같은 분수 중에서 분모와 분자의 합이 66인 분수를 구해 보세요.

( )

2-2 분모와 분자의 차가 15이고 약분하여 $\frac{2}{5}$가 되는 분수를 구해 보세요.

( )

3단계 교과서 실력 다지기

통분하기 전의 기약분수 구하기

3 어떤 두 기약분수를 통분하였더니 $\frac{48}{90}$과 $\frac{55}{90}$가 되었습니다. 통분하기 전의 두 기약분수를 구해 보세요.

답 ______________

개념 피드백

• 기약분수 구하기
분수를 분모와 분자의 최대공약수로 나누면 기약분수가 됩니다.

3-1 어떤 두 기약분수를 통분한 것입니다. 통분하기 전의 두 기약분수를 구해 보세요.

$\frac{15}{36}$, $\frac{16}{36}$ → (　　　,　　　)

3-2 어떤 두 기약분수를 통분한 종이의 일부가 찢어졌습니다. 통분하기 전의 두 기약분수를 구해 보세요.

$\frac{14}{21}$, $\frac{12}{\ }$

(　　　　　　　　　)

세 분수의 크기 비교하기

4 집에서 학교, 서점, 우체국까지의 거리는 각각 $\frac{5}{8}$ km, $\frac{7}{9}$ km, $\frac{3}{5}$ km입니다. 집에서 가장 가까운 곳은 어디일까요?

답 ______________

개념 피드백

• 세 분수의 크기 비교하기

분모가 다른 세 분수는 두 분수끼리 통분하여 차례로 크기를 비교합니다.

4-1 가장 큰 수에 ○표, 가장 작은 수에 △표 하세요.

$\frac{4}{9}$ $\frac{1}{2}$ $\frac{5}{11}$

4-2 갈림길에서 가장 큰 수를 찾아 길을 따라갈 때 만나는 동물과, 가장 작은 수를 찾아 길을 따라갈 때 만나는 동물의 이름을 각각 써 보세요.

가장 큰 수를 따라갈 때 (　　　　　　　　)

가장 작은 수를 따라갈 때 (　　　　　　　　)

☐ 안에 들어갈 수 있는 수 구하기

5 1부터 9까지의 자연수 중에서 ☐ 안에 들어갈 수 있는 수를 모두 구해 보세요.

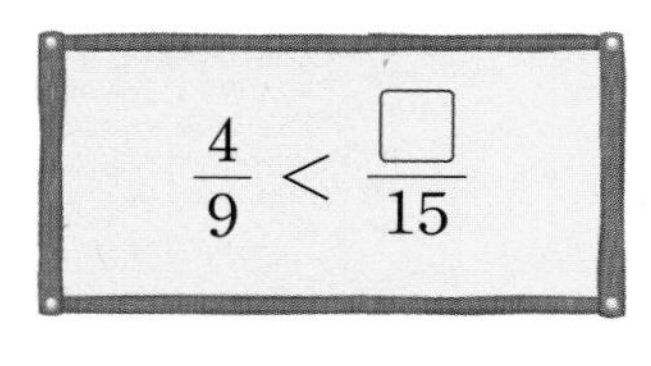

답 ______________________

개념 피드백
- 크기를 비교하여 ☐ 안에 알맞은 수 구하기
  ① 소수가 있으면 분수로 고칩니다.
  ② 분수를 통분합니다.
  ③ 분자의 크기를 비교하여 알맞은 수를 구합니다.

5-1 1부터 9까지의 자연수 중에서 ☐ 안에 들어갈 수 있는 수를 모두 구해 보세요.

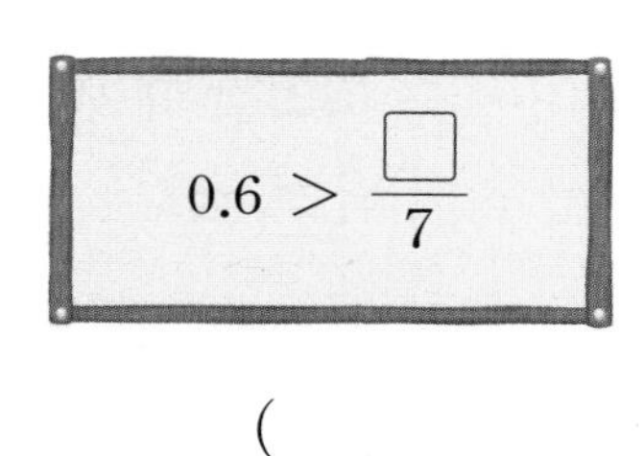

( )

5-2 1부터 9까지의 자연수 중에서 ☐ 안에 들어갈 수 있는 수를 모두 구해 보세요.

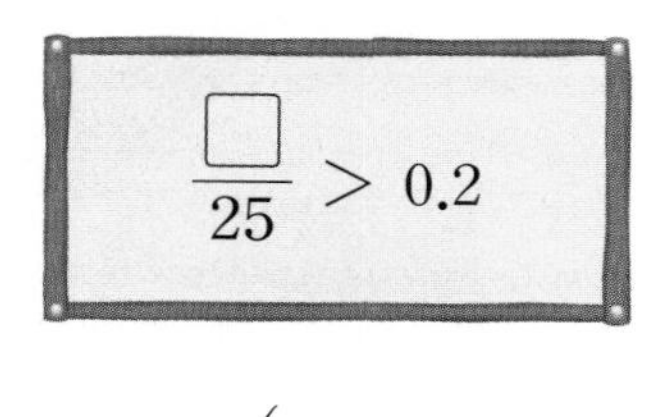

( )

분수를 만들어 크기 비교하기

6 두 사람이 가지고 있는 수 카드를 한 번씩만 사용하여 각각 진분수를 만들었습니다. 더 큰 진분수를 만든 사람은 누구일까요?

답 ____________________

개념 피드백

• 수 카드로 만든 진분수의 크기 비교하기

① 두 장의 수 카드 중 큰 수를 분모에, 작은 수를 분자에 써서 진분수를 만듭니다.

② 두 진분수의 분모를 통분하여 크기를 비교합니다.

6-1 두 사람이 각자 가지고 있는 수 카드를 한 번씩만 사용하여 진분수를 만들었습니다. 더 작은 진분수를 만든 사람은 누구일까요?

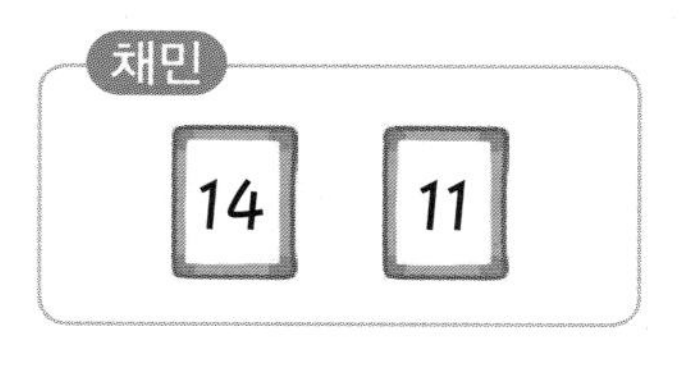

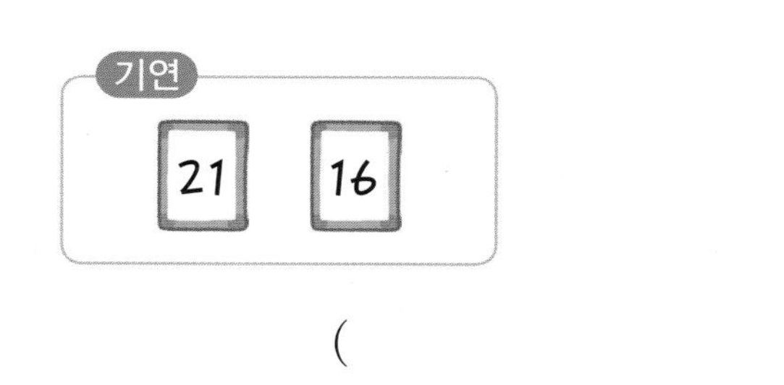

(　　　　　　　　　　)

6-2 세 사람이 각자 가지고 있는 수 카드를 한 번씩만 사용하여 진분수를 만들었습니다. 가장 큰 진분수를 만든 사람은 누구일까요?

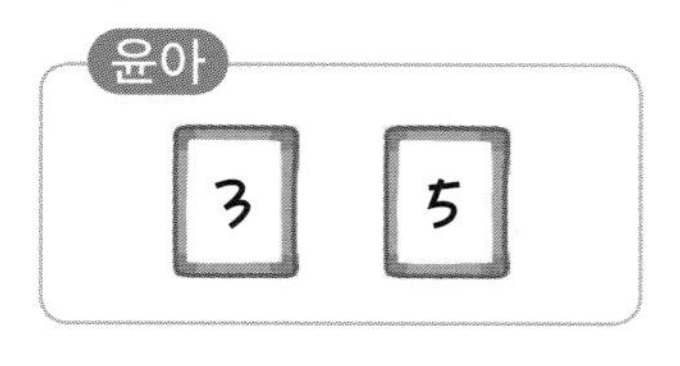

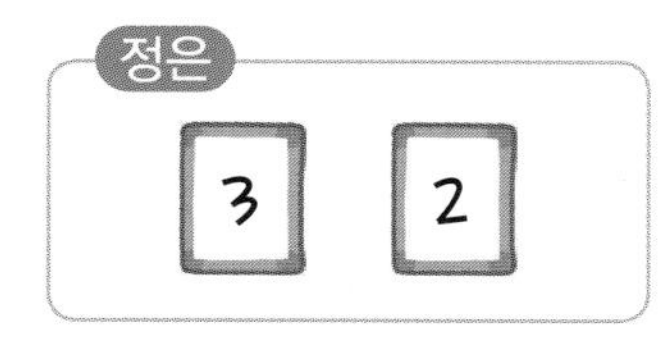

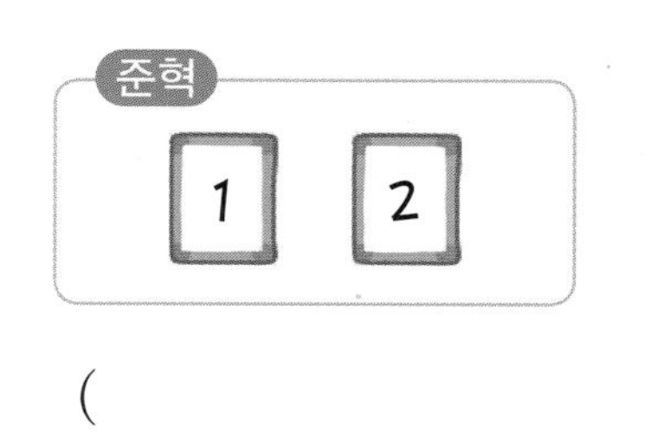

(　　　　　　　　　　)

교과서 서술형 연습

1 진주네 학교 5학년 학생 280명 중에서 남학생은 120명입니다. 여학생 수는 5학년 학생 수의 몇 분의 몇인지 기약분수로 나타내어 보세요.

구하려는 것, 주어진 것에 선을 그어 봅니다.

해결하기 여학생 수를 구해 보면 □ - □ = □ (명)입니다.

여학생 수는 5학년 학생 수의 $\frac{□}{280}$ 이고

기약분수로 나타내면 $\frac{□}{□}$ 입니다.

답 구하기 □

2 오늘 박물관에 입장한 학생은 모두 156명입니다. 그중 48명이 안경을 쓴 학생이라면 안경을 쓰지 않는 학생은 전체 학생의 몇 분의 몇인지 기약분수로 나타내어 보세요.

구하려는 것, 주어진 것에 선을 그어 봅니다.

해결하기

답 구하기

오른쪽 두 분수를 통분하려고 합니다. 공통분모가 될 수 있는 수 중에서 100에 가장 가까운 수를 공통분모로 하여 통분해 보세요.

$\frac{8}{11}$, $\frac{3}{4}$

해결하기 공통분모가 될 수 있는 수 중에서 가장 작은 수는 두 분모 11과 4의 [ ]입니다.

11과 4의 최소공배수: [ ] ➔ 공배수: [ ], [ ], [ ]……

공배수 중에서 100에 가장 가까운 수는 [ ]이므로

이 수를 공통분모로 하여 통분하면 $\frac{\square}{\square}$, $\frac{\square}{\square}$입니다.

답 구하기 [ ], [ ]

서술형 실전

4 $\frac{7}{12}$과 $\frac{2}{5}$를 통분하려고 합니다. 공통분모가 될 수 있는 수 중에서 세 번째로 작은 수를 공통분모로 하여 통분해 보세요.

해결하기

답 구하기

3주 교과서

PLAY 사고력 개념 스토리

징검다리 완성하기

준비물 붙임딱지

개구리 친구들이 서로 만날 수 있도록 연못 위에 연잎 붙임딱지를 붙여 징검다리를 만들어 보세요. 연잎은 개구리 친구들이 공통으로 밟을 수 있는 공통분모여야 합니다.

4
주
사고력

PLAY 사고력 개념 스토리

약분하기 전의 풍선 찾기

준비물 붙임딱지

분모나 분자에 수를 더하거나 뺀 후 약분을 하고 있습니다. 약분한 분수를 보고 약분하기 전 분수와 처음 분수를 찾아 풍선 붙임딱지를 알맞게 붙여 보세요.

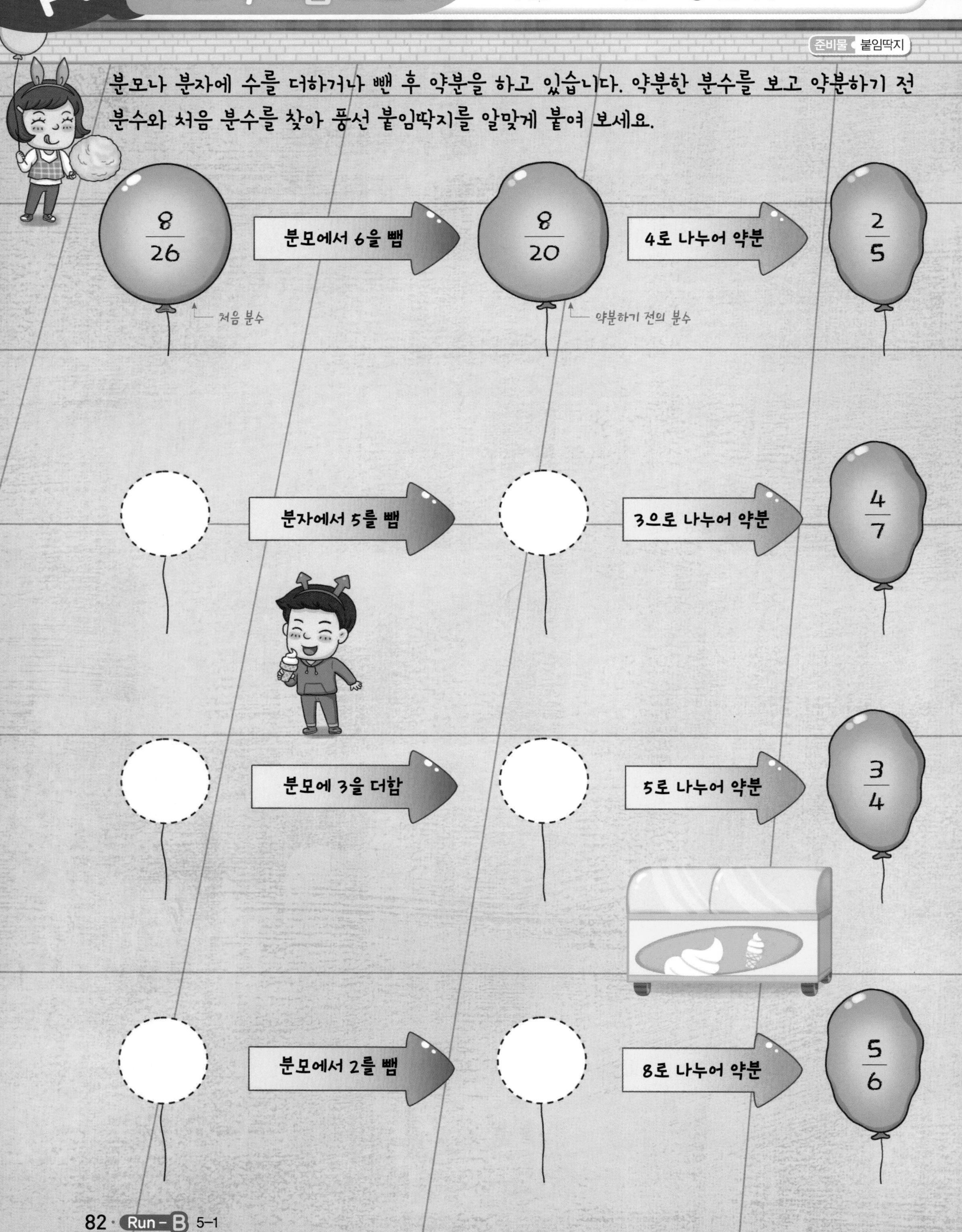

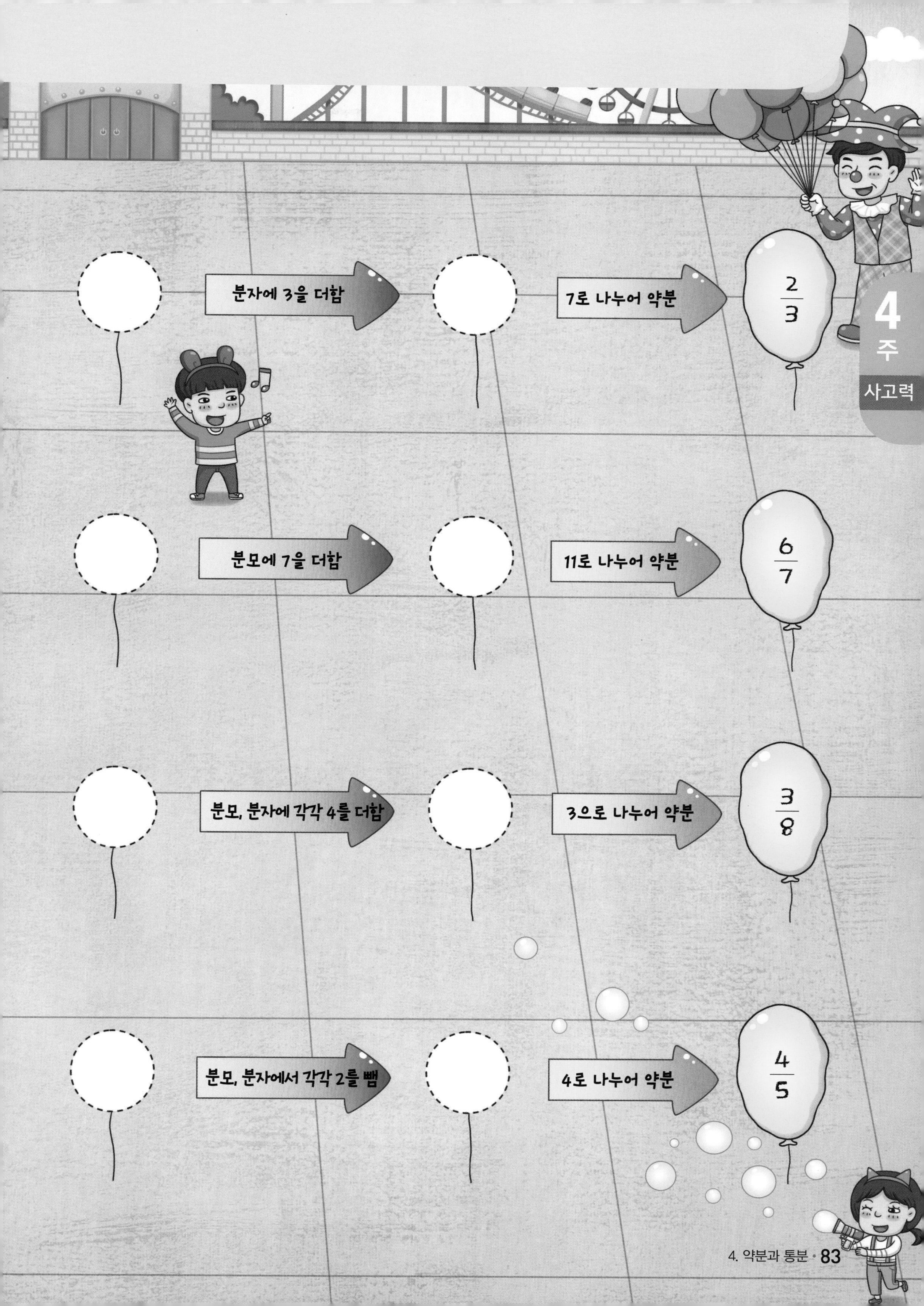
분자에 3을 더함
7로 나누어 약분
$\frac{2}{3}$
분모에 7을 더함
11로 나누어 약분
$\frac{6}{7}$
분모, 분자에 각각 4를 더함
3으로 나누어 약분
$\frac{3}{8}$
분모, 분자에서 각각 2를 뺌
4로 나누어 약분
$\frac{4}{5}$
4
주
사고력

1 **여진이네 반 학생들이 현장 체험 학습 장소로 가고 싶은 장소를 조사하여 나타낸 것입니다. 놀이동산과 박물관에 가고 싶어 하는 학생 수는 각각 전체 학생 수의 몇 분의 몇인지 기약분수로 나타내어 보세요. (단, 한 사람이 한 장소씩 답했습니다.)**

가고 싶은 장소

박물관
동물원
놀이동산
한옥마을
8명
11명
12명
9명

① 여진이네 반 학생은 모두 몇 명일까요?

( )

② 놀이동산에 가고 싶어 하는 학생 수는 전체 학생 수의 몇 분의 몇인지 기약분수로 나타내어 보세요.

( )

③ 박물관에 가고 싶어 하는 학생 수는 전체 학생 수의 몇 분의 몇인지 기약분수로 나타내어 보세요.

( )

정답과 풀이 p.21

2 조건 을 만족하는 분수를 모두 구해 보세요.

조건

- $\frac{7}{11}$과 크기가 같습니다.
- 분모가 50보다 크고 100보다 작습니다.
- 분자가 40보다 크고 50보다 작습니다.

4주 사고력

① $\frac{7}{11}$과 크기가 같은 분수를 분모가 작은 수부터 9개 써 보세요.

② 위 ①에서 구한 분수 중 분모가 50보다 크고 100보다 작은 분수를 모두 써 보세요.

③ 위 ②에서 구한 분수 중 분자가 40보다 크고 50보다 작은 분수를 모두 써 보세요.

3

무게가 각각 다음과 같은 가, 나, 다 세 개의 추를 그림과 같이 용수철에 매달았습니다. 가, 나, 다의 추가 매달린 용수철을 찾아보고 그렇게 생각한 이유를 써 보세요.

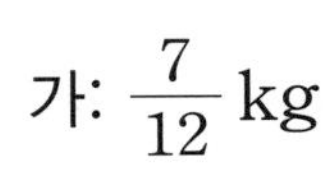

가: $\frac{7}{12}$ kg

나: $\frac{5}{8}$ kg

다: $\frac{10}{13}$ kg

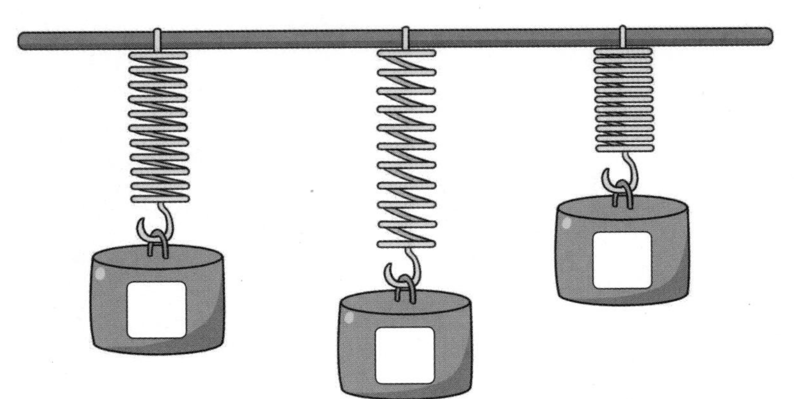

❶ 가, 나, 다 추의 무게인 세 분수의 크기를 비교해 보세요.

□ > □ > □

❷ 위 그림의 □ 안에 알맞은 추의 기호를 써넣으세요.

❸ 위 ❷와 같이 생각한 이유를 써 보세요.

4

지민이는 3000원을 가지고 있습니다. 지우개 1개와 공책 1권을 샀을 때 남은 돈은 처음에 가지고 있던 돈의 몇 분의 몇인지 기약분수로 나타내어 보세요.

① 지민이가 산 학용품은 모두 얼마일까요?

( )

② 학용품을 사고 남은 돈은 얼마일까요?

( )

③ 남은 돈은 처음에 가지고 있던 돈의 몇 분의 몇인지 기약분수로 나타내어 보세요.

( )

2단계 교과 사고력 확장

1 **민호, 나라, 혜승이는 크기가 같은 피자를 먹고 각자 $\frac{2}{3}$, $\frac{3}{4}$, $\frac{4}{5}$만큼씩 피자를 남겼습니다. 남아 있는 피자의 양이 가장 많은 사람은 누구인지 구해 보세요.**

❶ 남아 있는 피자의 양만큼 색칠해 보세요.

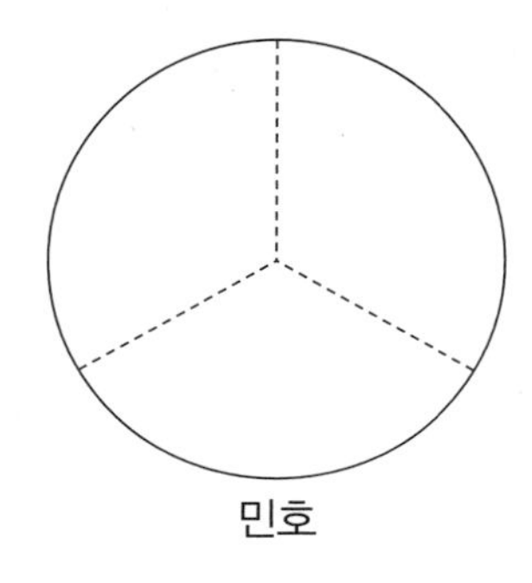
민호

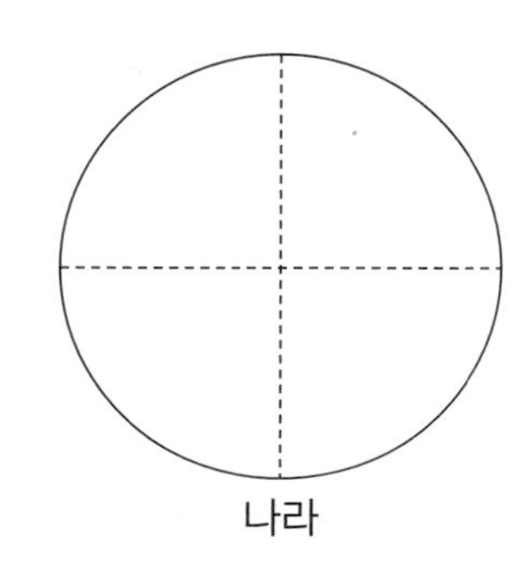
나라

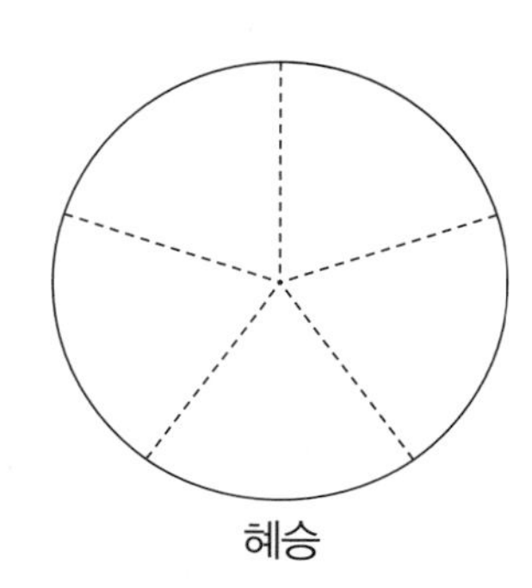
혜승

❷ 남아 있는 피자의 양을 보고 분수의 크기를 비교하여 □ 안에 알맞은 수나 말을 써넣으세요.

→ 분자가 분모보다 1 작은 분수는 분모가 클수록 더 [　　　].

❸ 남아 있는 피자의 양이 가장 많은 사람은 누구일까요?

(　　　　　　　　)

정답과 풀이 p.22

4 주 사고력

2

5명의 학생이 각각 분수 카드를 1장씩 가지고 있습니다. 4개의 문이 있고, 자기가 가진 수와 크기가 같은 분수가 쓰인 문을 열고 안으로 들어갈 수 있습니다. 문으로 들어가지 못하는 학생은 누구일까요?

❶ 각 번호의 문으로 들어하는 학생은 누구인지 표를 완성해 보세요.

문	1번	2번	3번	4번
학생 이름				

❷ 문으로 들어가지 못하는 학생은 누구일까요?

( )

3 **모양과 크기가 같은 3개의 병에 서로 다른 종류의 음료수가 담겨 있습니다. 윤아, 호동, 승기가 각자 한 가지씩 마시려고 합니다. 3개의 병에는 각각 딸기 주스 $\frac{3}{5}$ L, 콜라 $\frac{2}{7}$ L, 오렌지 주스 $\frac{5}{9}$ L가 들어 있다면 승기가 마실 음료수는 무엇인지 구해 보세요.**

- 윤아: 나는 탄산음료를 마실 거야.
- 호동: 나는 가장 많이 들어 있는 것을 마실 거야.
- 승기: 그럼 나는 남은 음료수를 마실게.

1 음료수의 양을 나타내는 세 분수의 크기를 비교해 보세요.

2 각 병에 담긴 음료수가 무엇인지 양을 비교하여 딸기 주스는 빨간색, 콜라는 검은색, 오렌지 주스는 노란색으로 색칠해 보세요.

3 호동이가 마실 음료수는 무엇인지 써 보세요.

( )

4 승기가 마실 음료수는 무엇인지 써 보세요.

( )

정답과 풀이 p.22

4

세 학생 연우, 효정, 동민이가 학교에서 같은 시각에 집을 향해 동시에 출발하였습니다. 집에 도착한 시각을 보고 연우, 효정, 동민이의 집을 각각 찾아 보세요. (단, 세 학생이 걷는 빠르기는 같습니다.)

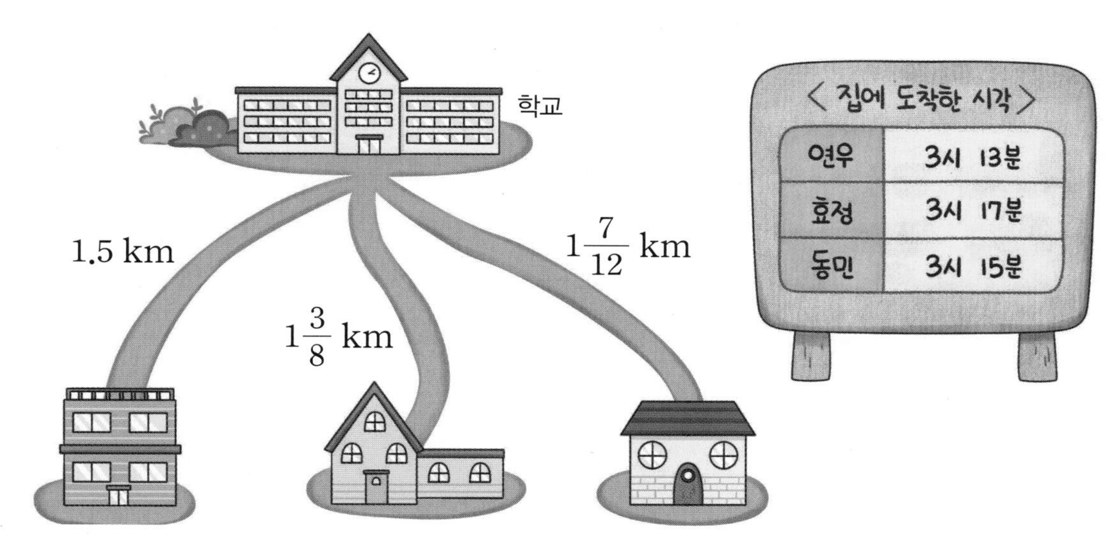

1 거리를 나타내는 세 수의 크기를 비교해 보세요.

2 학생들의 집을 선으로 바르게 이어 보세요.

연우 •

효정 •

동민 •

3 단계 교과 사고력 완성

평가 영역 ☑개념 이해력 □개념 응용력 □창의력 □문제 해결력

1 다음은 곱셈구구표입니다. 곱셈구구표를 보면 크기가 같은 분수를 쉽게 찾을 수 있습니다. 보기 와 같은 방법으로 크기가 같은 분수를 만들어 보세요.

×	1	2	3	4	5	6	7	8	9
1 (1행 →)	1	2	3	4	5	6	7	8	9
2	2	4	6	8	10	12	14	16	18
3 (3행 →)	3	6	9	12	15	18	21	24	27
4	4	8	12	16	20	24	28	32	36
5	5	10	15	20	25	30	35	40	45
6	6	12	18	24	30	36	42	48	54
7	7	14	21	28	35	42	49	56	63
8	8	16	24	32	40	48	56	64	72
9	9	18	27	36	45	54	63	72	81

보기

곱셈구구표의 1행과 3행을 이용하여 $\frac{1}{3}$과 크기가 같은 분수를 만들 수 있습니다.

×	1	2	3	4	5	6	7	8	9	
1	1	2	3	4	5	6	7	8	9	← 분자
3	3	6	9	12	15	18	21	24	27	← 분모

$$\frac{1}{3}=\frac{2}{6}=\frac{3}{9}=\frac{4}{12}=\frac{5}{15}=\frac{6}{18}=\frac{7}{21}=\frac{8}{24}=\frac{9}{27}$$

① 3행과 7행을 이용하여 $\frac{3}{7}$과 크기가 같은 분수를 만들어 보세요.

$$\frac{3}{7}=\frac{6}{14}=\frac{9}{21}=\frac{\square}{\square}=\frac{\square}{\square}=\frac{\square}{\square}=\frac{\square}{\square}=\frac{\square}{\square}=\frac{\square}{\square}$$

② 5행과 9행을 이용하여 $\frac{5}{9}$와 크기가 같은 분수를 만들어 보세요.

$$\frac{5}{9}=\frac{20}{\square}=\frac{\square}{54}=\frac{\square}{81}$$

평가 영역 □개념 이해력 □개념 응용력 ☑창의력 □문제 해결력

2 각 음에는 고유한 진동수가 있습니다. 두 음의 진동수로 분수를 만들어 기약분수로 나타내었을 때 분모와 분자가 모두 7보다 작으면 두 음은 잘 어울리는 음이라고 합니다. 잘 어울리는 음을 찾아보세요.

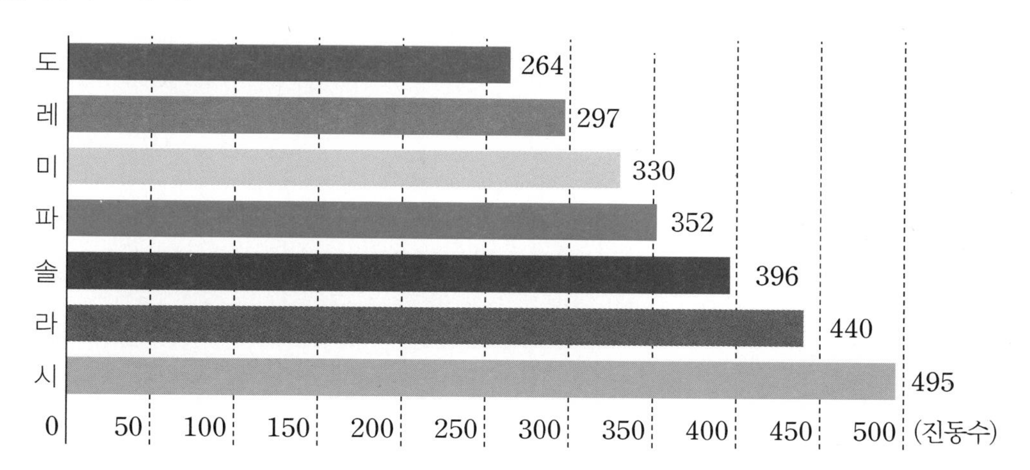

음	도	레	미	파	솔	라	시
진동수	264	297	330	352	396	440	495

'도'와 '미'의 진동수를 분수로 만들면 $\frac{264}{330}=\frac{4}{5}$이니까 분모와 분자가 모두 7보다 작아.

그래서 '도'와 '미'가 잘 어울려서 아름답게 들리는구나.

1 다음 중 잘 어울리는 두 음은 무엇인지 기호를 써 보세요.

㉠ 파와 시　　㉡ 솔과 라　　㉢ 파와 라

(　　　　　　)

2 '솔'과 '시'는 잘 어울리는 음일까요, 잘 어울리지 않는 음일까요?

(　　　　　　)

맞은 개수

1 분수만큼 색칠하고 크기가 같은 분수를 □ 안에 써 넣으세요.

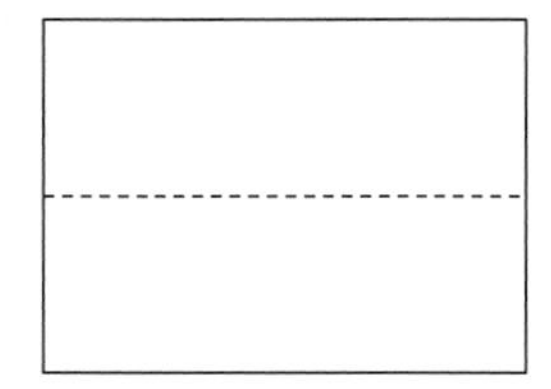

$\frac{1}{2}$

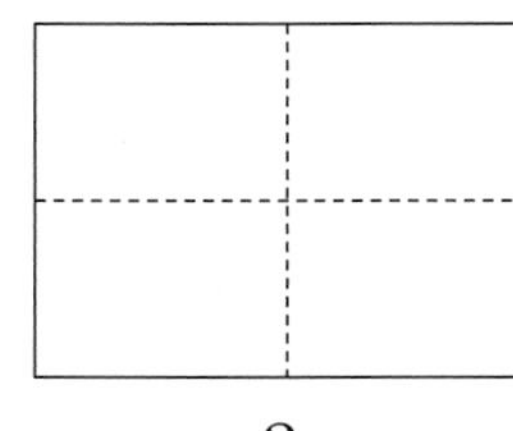

$\frac{2}{4}$

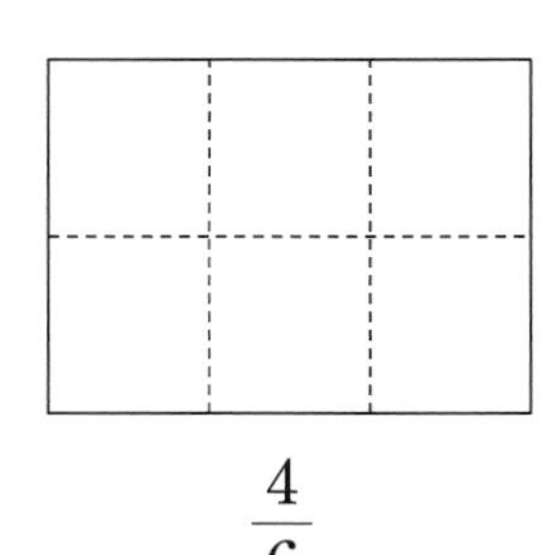

$\frac{4}{6}$

➜ 크기가 같은 분수는 □ 와(과) □ 입니다.

2 크기가 같은 분수가 되도록 □ 안에 알맞은 수를 써넣으세요.

$$\frac{5}{8}=\frac{\square}{16}=\frac{15}{\square}=\frac{20}{\square}=\frac{\square}{40}$$

3 $\frac{16}{24}$을 약분한 분수를 모두 써 보세요.

$\frac{16}{24}$ ➜ ______________________

4 기약분수를 모두 찾아 ○표 하세요.

$\frac{3}{44}$ $\frac{13}{26}$ $\frac{9}{52}$ $\frac{16}{30}$

5 $\frac{7}{15}$과 $\frac{5}{6}$를 통분하려고 합니다. 공통분모가 될 수 있는 수를 가장 작은 수부터 3개 써 보세요.

( )

6 두 분모의 곱을 공통분모로 하여 통분해 보세요.

(1) $\left(\frac{2}{3}, \frac{4}{5}\right)$ ➔ (,)

(2) $\left(\frac{3}{4}, \frac{7}{10}\right)$ ➔ (,)

7 두 분모의 최소공배수를 공통분모로 하여 통분해 보세요.

$\left(\frac{5}{12}, \frac{4}{15}\right)$ ➔ (,)

8 두 수의 크기를 비교하여 ○ 안에 $>$, $=$, $<$를 알맞게 써넣으세요.

(1) $\frac{9}{11}$ ○ 0.8

(2) 1.75 ○ $1\frac{4}{5}$

9 진분수 $\frac{\square}{9}$가 기약분수라고 할 때 □ 안에 들어갈 수 있는 수를 모두 써 보세요.

(　　　　　　　　　　　　　　)

10 $\frac{42}{63}$의 분모와 분자를 한 번만 나누어 기약분수로 나타내려고 합니다. 분모와 분자를 어떤 수로 나누어야 하는지 구해 보세요.

(　　　　　　　　　　　　　　)

11 고양이는 갈림길마다 더 큰 수가 쓰여 있는 생선을 먹으면서 갑니다. 고양이가 먹게 되는 생선에 모두 ○표 하세요.

12 기약분수로 나타내었을 때 분모와 분자의 합이 가장 큰 것을 찾아 써 보세요.

$\frac{12}{28}$ $\frac{24}{32}$ $\frac{48}{54}$ $\frac{40}{60}$

( )

13 두 사람이 각자 가지고 있는 수 카드를 한 번씩만 사용하여 진분수를 만들었습니다. 더 큰 진분수를 만든 사람은 누구일까요?

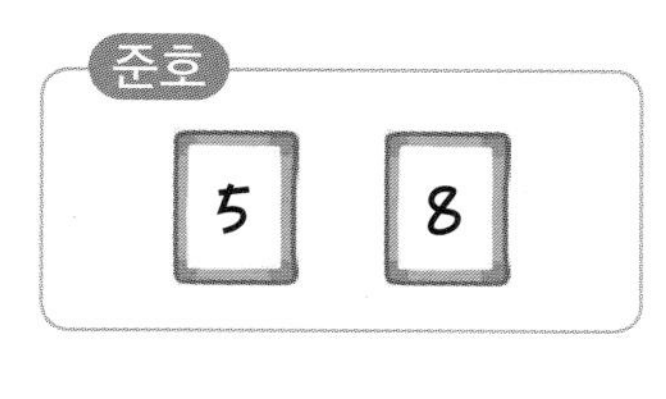

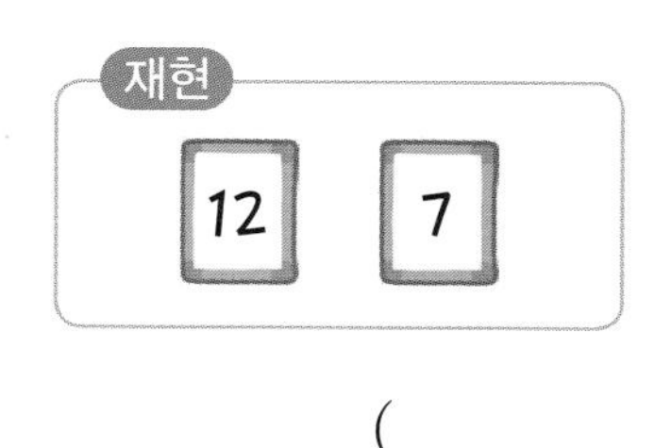

( )

14 □ 안에 들어갈 수 있는 자연수는 모두 몇 개일까요?

$\frac{\square}{13} < \frac{4}{9}$

( )

15 $\frac{5}{12}$와 크기가 같은 분수 중에서 분모와 분자의 차가 28인 분수를 써 보세요.

( )

16 $\frac{15}{17}$와 크기가 같은 분수 중에서 분모가 30보다 크고 80보다 작은 분수는 모두 몇 개일까요?

( )

17 $\frac{3}{5}$보다 크고 $\frac{13}{15}$보다 작은 분수 중에서 분모가 15인 분수는 몇 개일까요?

( )

18 진주, 나경, 보미는 약수터에 가서 각각 $1\frac{3}{5}$ L, 1.2 L, $1\frac{9}{20}$ L의 물을 받았습니다. 물을 많이 받은 사람부터 차례로 이름을 써 보세요.

( )

19 $\frac{16}{21}$의 분모와 분자에 같은 자연수를 더하여 $\frac{4}{5}$와 크기가 같은 분수를 만들었습니다. 분모와 분자에 최대한 작은 수를 더했을 때 더한 수는 얼마인지 구해 보세요.

( )

특강 창의·융합 사고력

정답과 풀이 p.24

1 네덜란드 화가인 피에트 몬드리안(Piet Mondrian)은 20세기 미술과 건축, 패션 등 예술계 전반에 새로운 시야를 열고 추상 미술의 발전을 이끈 가장 중요한 인물 중 한 명입니다. 몬드리안은 주로 직선과 직각, 삼원색(청색, 적색, 황색)과 무채색(하얀색, 회색, 검은색)만을 사용해 작품을 많이 그렸는데, 이를 통해 '질서와 균형의 아름다움'을 표현했다고 합니다. 오른쪽은 몬드리안의 작품 '구성'입니다. 예지는 몬드리안 작품을 흉내내어 다음과 같이 그려 보았습니다. 물음에 답하세요.

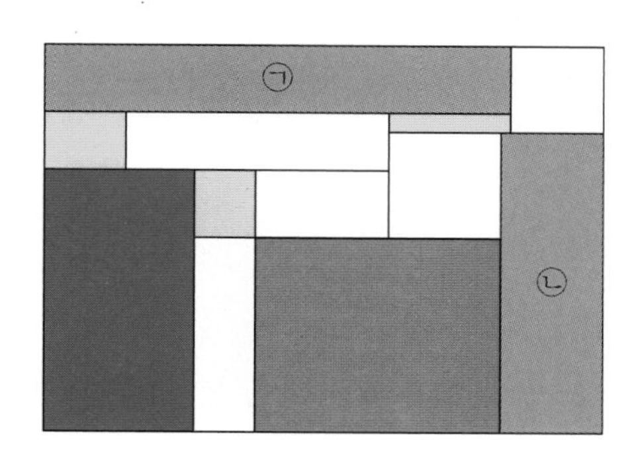

(1) 파란색을 칠한 부분은 전체의 $\frac{4}{21}$이고, 빨간색을 칠한 부분은 전체의 $\frac{3}{14}$입니다. 파란색과 빨간색을 칠한 부분 중 어느 색을 칠한 부분의 넓이가 더 넓을까요?

( )

(2) 회색으로 칠해진 ㉠의 넓이는 전체 넓이의 $\frac{7}{48}$이고, ㉡의 넓이는 전체 넓이의 $\frac{5}{36}$입니다. ㉠과 ㉡ 중 더 넓은 것을 검은색으로 바꾸어 칠하려고 합니다. 검은색으로 칠해지는 부분의 기호를 써 보세요.

( )

Memo

5-1 Run-B호 Play 붙임딱지

문제의 알맞은 곳에 붙임딱지를 붙여 보세요.

14~15쪽

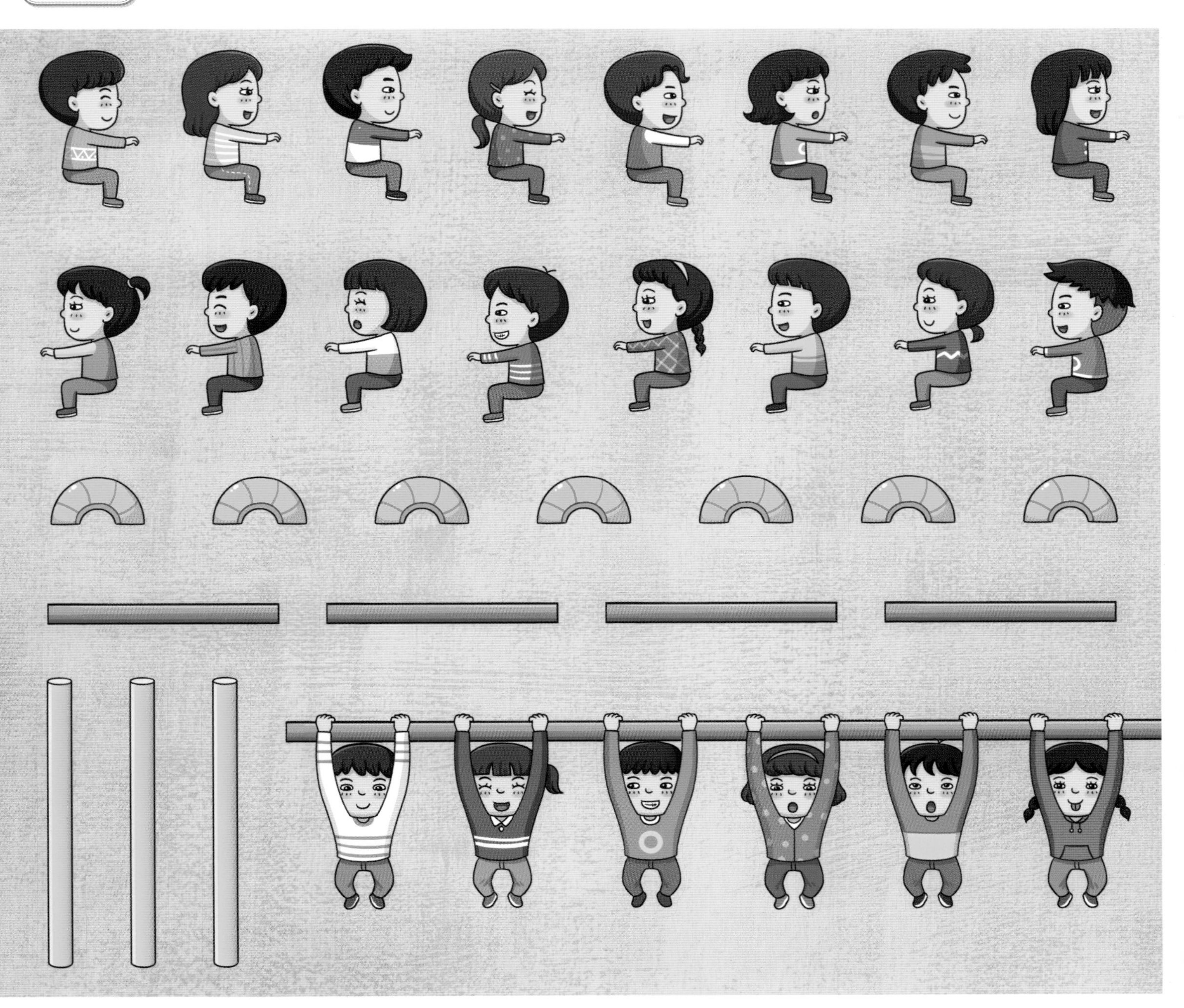

16~17쪽

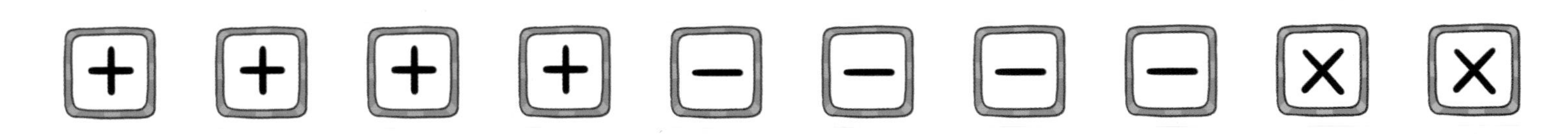

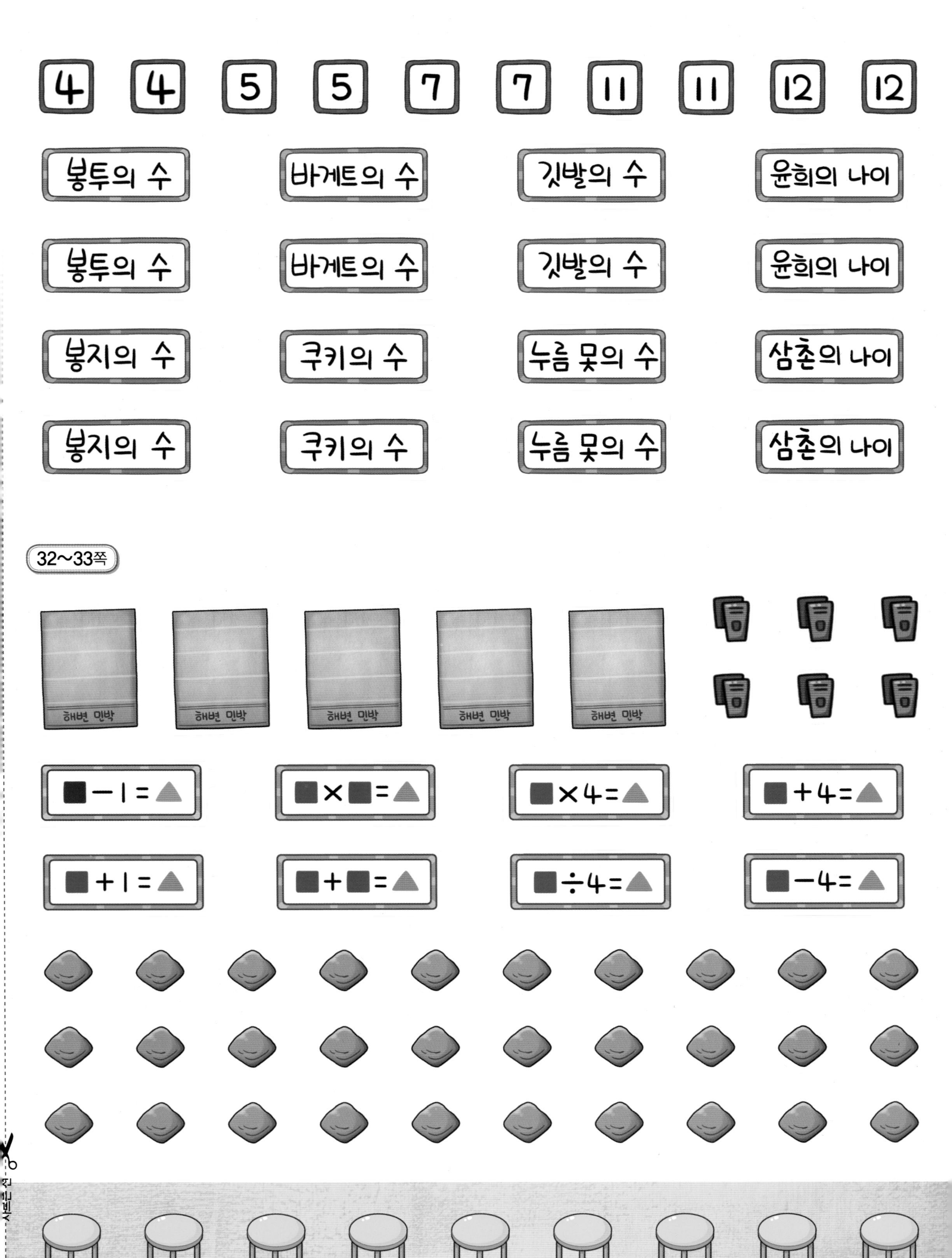

4
4
5
5
7
7
11
11
12
12
봉투의 수
바게트의 수
깃발의 수
윤희의 나이
봉투의 수
바게트의 수
깃발의 수
윤희의 나이
봉지의 수
쿠키의 수
누름 못의 수
삼촌의 나이
봉지의 수
쿠키의 수
누름 못의 수
삼촌의 나이
32~33쪽
해변 민박
해변 민박
해변 민박
해변 민박
해변 민박
■−1=▲
■×■=▲
■×4=▲
■+4=▲
■+1=▲
■+■=▲
■÷4=▲
■−4=▲

34~35쪽

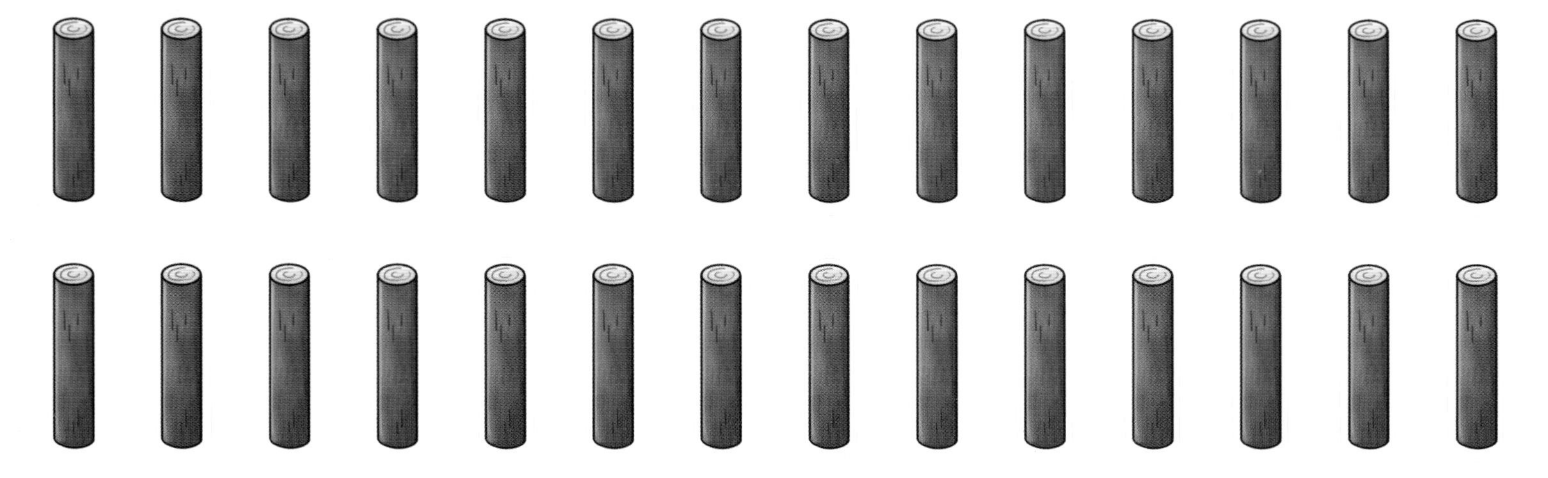

■×2−1=▲ ■×3−1=▲ ■×4−1=▲

■×2+1=▲ ■×3+1=▲ ■×4+1=▲

■×5+1=▲ ■×5−1=▲

62~63쪽

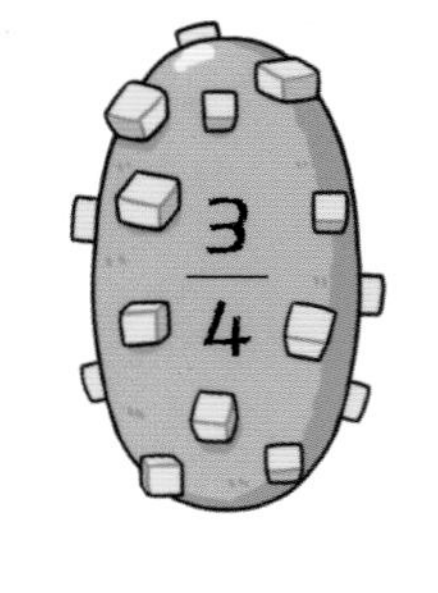

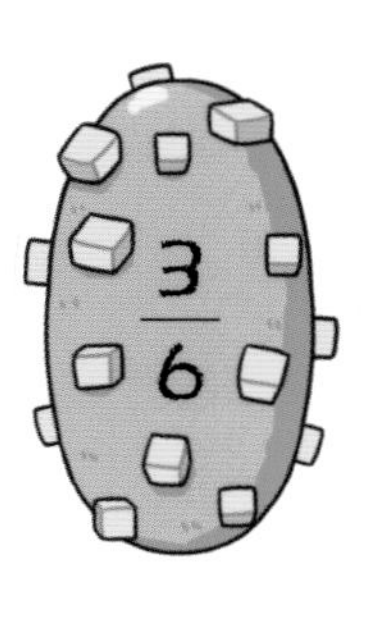

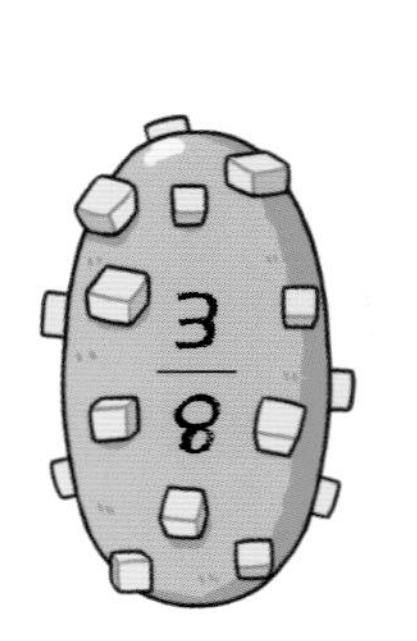

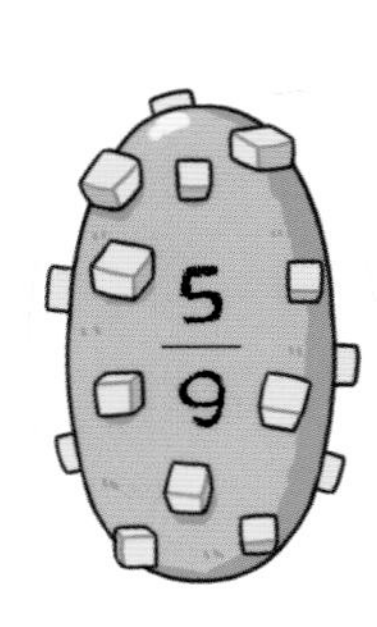

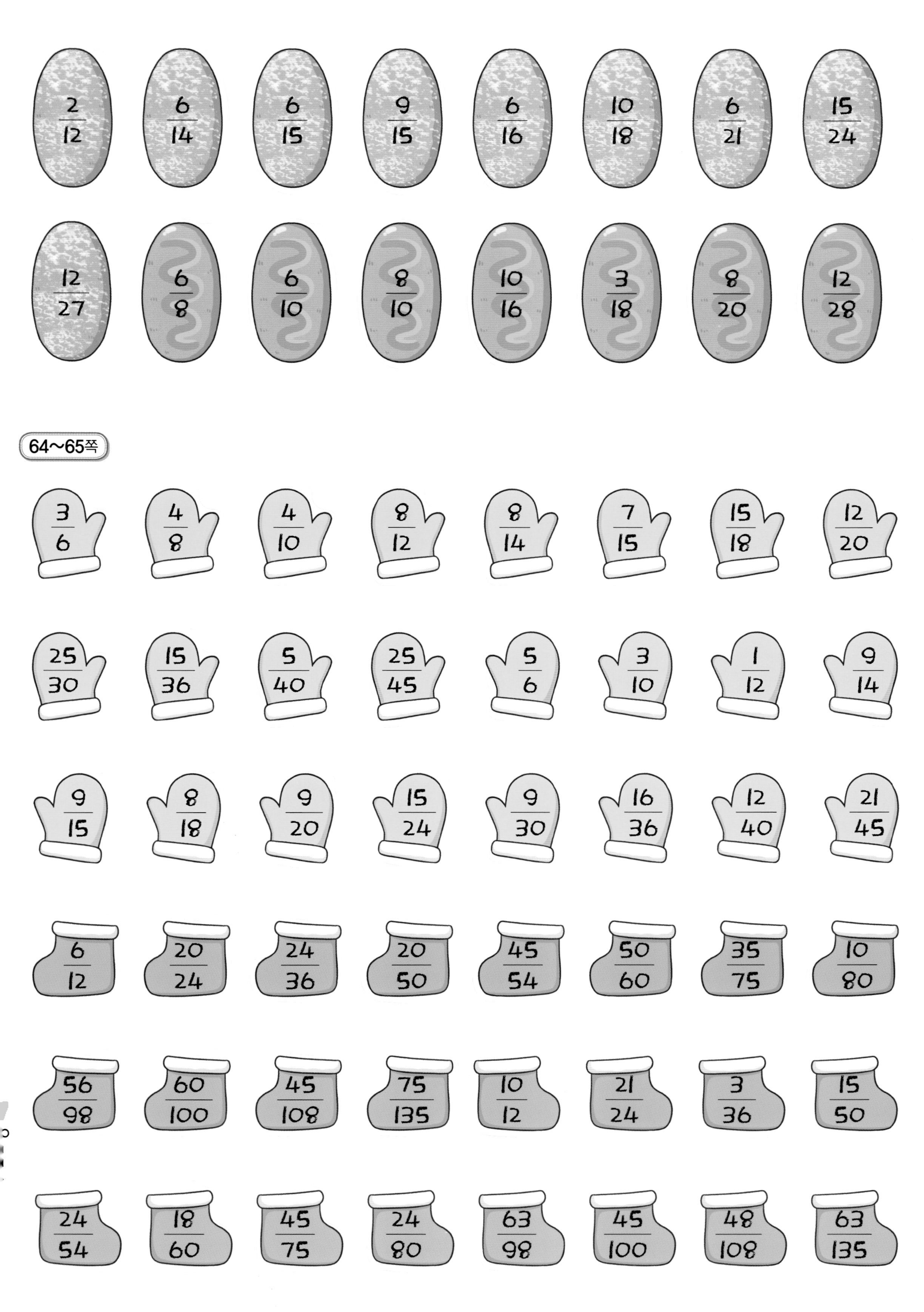

$\frac{2}{12}$
$\frac{6}{14}$
$\frac{6}{15}$
$\frac{9}{15}$
$\frac{6}{16}$
$\frac{10}{18}$
$\frac{6}{21}$
$\frac{15}{24}$
$\frac{12}{27}$
$\frac{6}{8}$
$\frac{6}{10}$
$\frac{8}{10}$
$\frac{10}{16}$
$\frac{3}{18}$
$\frac{8}{20}$
$\frac{12}{28}$
64~65쪽
$\frac{3}{6}$
$\frac{4}{8}$
$\frac{4}{10}$
$\frac{8}{12}$
$\frac{8}{14}$
$\frac{7}{15}$
$\frac{15}{18}$
$\frac{12}{20}$
$\frac{25}{30}$
$\frac{15}{36}$
$\frac{5}{40}$
$\frac{25}{45}$
$\frac{5}{6}$
$\frac{3}{10}$
$\frac{1}{12}$
$\frac{9}{14}$
$\frac{9}{15}$
$\frac{8}{18}$
$\frac{9}{20}$
$\frac{15}{24}$
$\frac{9}{30}$
$\frac{16}{36}$
$\frac{12}{40}$
$\frac{21}{45}$
$\frac{6}{12}$
$\frac{20}{24}$
$\frac{24}{36}$
$\frac{20}{50}$
$\frac{45}{54}$
$\frac{50}{60}$
$\frac{35}{75}$
$\frac{10}{80}$
$\frac{56}{98}$
$\frac{60}{100}$
$\frac{45}{108}$
$\frac{75}{135}$
$\frac{10}{12}$
$\frac{21}{24}$
$\frac{3}{36}$
$\frac{15}{50}$
$\frac{24}{54}$
$\frac{18}{60}$
$\frac{45}{75}$
$\frac{24}{80}$
$\frac{63}{98}$
$\frac{45}{100}$
$\frac{48}{108}$
$\frac{63}{135}$

80~81쪽

18 20 28 30 36 48

54 56 60 72 72 84

90 90 96 112 120 140

82~83쪽

$\frac{9}{10}$ $\frac{15}{20}$ $\frac{12}{21}$ $\frac{20}{25}$ $\frac{40}{48}$ $\frac{42}{50}$

$\frac{15}{17}$ $\frac{7}{21}$ $\frac{17}{21}$ $\frac{15}{23}$ $\frac{40}{46}$ $\frac{40}{50}$

$\frac{10}{16}$ $\frac{16}{20}$ $\frac{14}{21}$ $\frac{9}{24}$ $\frac{30}{40}$ $\frac{66}{77}$

$\frac{14}{18}$ $\frac{5}{20}$ $\frac{11}{21}$ $\frac{18}{22}$ $\frac{66}{70}$ $\frac{66}{84}$

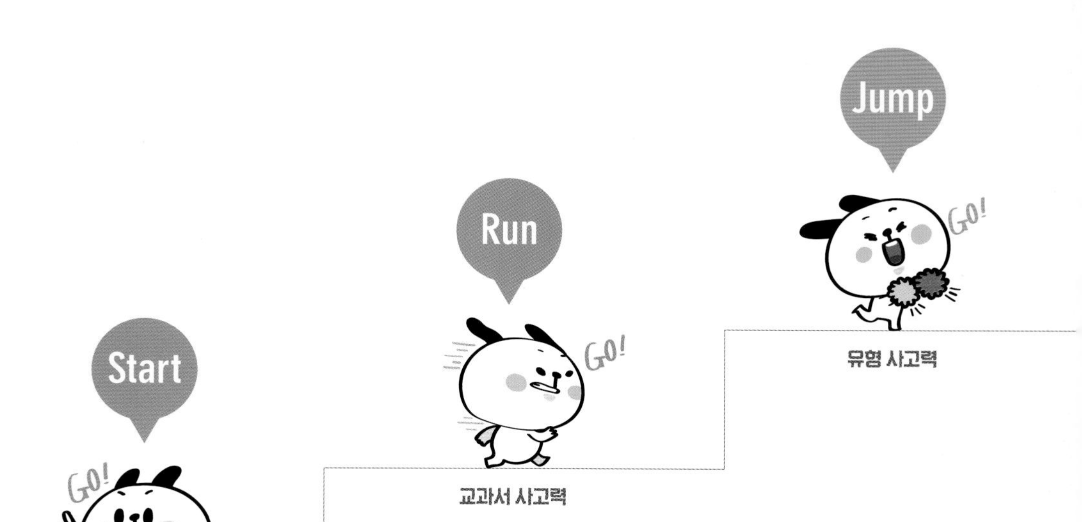
Jump
GO!
유형 사고력
Run
GO!
교과서 사고력
Start
GO!
교과서 개념

#사다리타기 #수학핵인싸 #천재로_공부하면_천재되지

#난이도별
#천재되는_수학교재

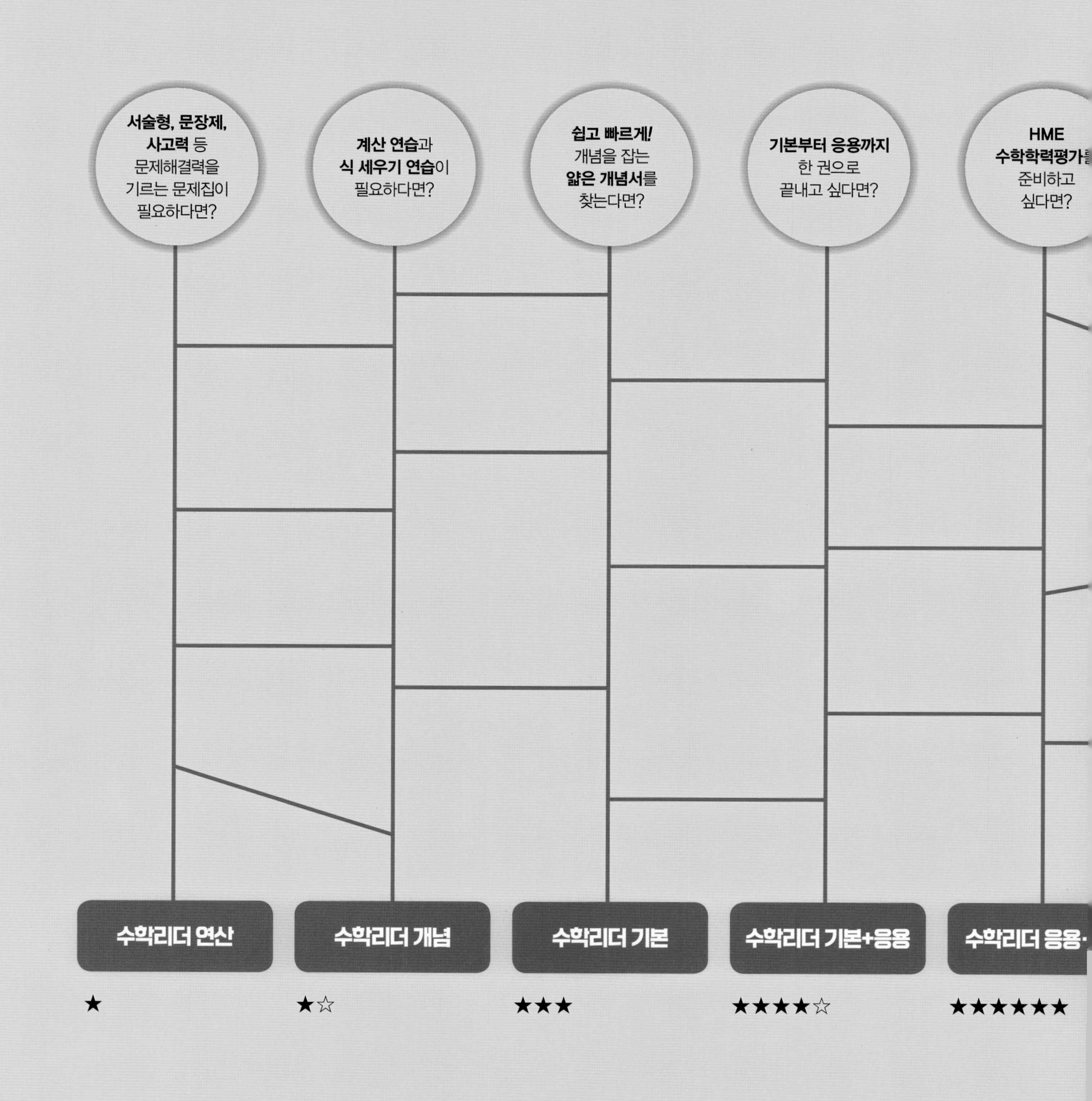

서술형, 문장제, 사고력 등 문제해결력을 기르는 문제집이 필요하다면?
계산 연습과 식 세우기 연습이 필요하다면?
쉽고 빠르게! 개념을 잡는 얇은 개념서를 찾는다면?
기본부터 응용까지 한 권으로 끝내고 싶다면?
HME 수학학력평가 준비하고 싶다면?
수학리더 연산
수학리더 개념
수학리더 기본
수학리더 기본+응용
수학리더 응용
★
★☆
★★★
★★★★☆
★★★★★★

사고력
중심

교과서 GO! 사고력 GO!

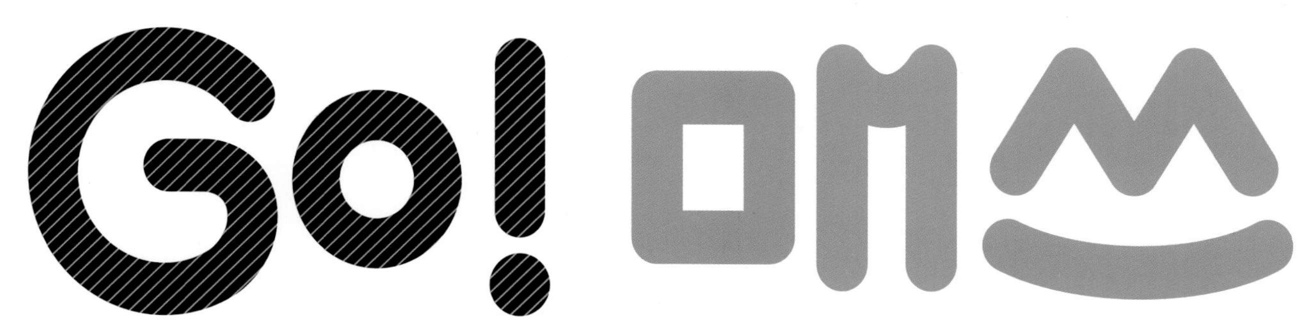

정답과 풀이

수학 5-1

정답과 해설
포인트 2가지

▶ 선생님이나 학부모가 쉽게 문제와 풀이를 한눈에 볼 수 있어요.

▶ 자세한 활동 수업에 대한 팁이 가득하게 들어 있어요.

4쪽 ~ 5쪽

3 규칙과 대응

대응과 암호 해독

대응은 어떤 두 대상이 서로 짝을 이루는 것을 말합니다. 두 수의 대응 관계를 수학에서는 식으로 표현할 수 있습니다. 또 대응을 이용하여 암호를 만들거나 풀 수도 있습니다.

사다리 타기 게임과 대응

사다리 타기 게임을 하면 한 사람에게 결과가 하나씩 대응되는 것을 알 수 있습니다.

은서 → 바닐라 맛
수지 → 딸기 맛
동훈 → 꽝
시원 → 민트 맛

이렇듯 하나씩 대응되는 것을 일대일 대응이라고 합니다.

자판기에서 물건을 살 때에도 하나의 수 버튼을 누르면 하나의 물건만 나옵니다.
사다리 타기와 마찬가지로 하나에 하나씩 대응되므로 일대일 대응이라고 할 수 있습니다.

사탕을 사 먹어야지.

암호*해독

*해독: 어려운 문구 따위를 읽어 이해하거나 해석함.

알파벳 26개의 문자로 암호를 만들 수 있습니다. 암호 해독표를 보고 알파벳과 암호의 글자를 각각 하나씩 대응시키면 암호를 풀 수 있습니다.

다음은 옛날 로마의 황제 카이사르가 사용한 암호입니다.

EH FDUHIXO IRU DVVDVVLQ

기존의 알파벳의 순서를 3칸씩 이동시켜 만든 것으로 표로 만들어 보면 다음과 같습니다.

암호 해독표

기존	A	B	C	D	E	F	G	H	I	J	K	L	M	N	O	P	Q	R	S	T	U	V	W	X	Y	Z
암호	D	E	F	G	H	I	J	K	L	M	N	O	P	Q	R	S	T	U	V	W	X	Y	Z	A	B	C

암호의 글자를 기존의 알파벳으로 바꾸면 E는 B로, H는 E로 바꿀 수 있습니다. 전체를 모두 바꾸면 'BE CAREFUL FOR ASSASSIN'으로 암살자를 조심하라는 뜻입니다.

한글을 알파벳과 대응시켜서 암호를 만들어 볼까요?
한글의 자음을 순서대로 적은 다음 순서대로 알파벳을 대응시키고,

ㄱ	ㄴ	ㄷ	ㄹ	ㅁ	ㅂ	ㅅ	ㅇ	ㅈ	ㅊ	ㅋ	ㅌ	ㅍ	ㅎ
A	B	C	D	E	F	G	H	I	J	K	L	M	N

한글의 모음을 순서대로 적은 다음 순서대로 나머지 알파벳을 대응시킵니다.

ㅏ	ㅑ	ㅓ	ㅕ	ㅗ	ㅛ	ㅜ	ㅠ	ㅡ	ㅣ
O	P	Q	R	S	T	U	V	W	X

그러면 '반가워'는 ㅂ ㅏ ㄴ ㄱ ㅏ ㅇ ㅜ ㅓ → FOBAOHUQ가 됩니다.

위와 같이 한글과 알파벳을 대응시켜 만든 암호입니다. 암호를 해독해 보세요.

ASAUEO → 고구마

✤ ASAUEO → ㄱㅗㄱㅜㅁㅏ → 고구마

HOAXGOGWE → 아기사슴

✤ HOAXGOGWE → ㅇㅏㄱㅣㅅㅏㅅㅡㅁ → 아기사슴

6쪽 ~ 7쪽

1단계 교과서 개념 잡기

개념 1 서로 대응하는 두 양 찾아보기

• 주변에서 서로 대응하는 두 양 찾아보기

(1) 탁자의 수와 의자의 수가 변하는 규칙 알아보기

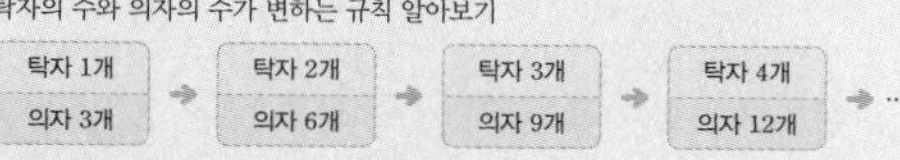

한 탁자에 의자가 3개씩 있어요.

탁자의 수가 1개, 2개, 3개……로 1개씩 늘어날 때 의자의 수는 3개, 6개, 9개……로 3개씩 늘어나요.

(2) 탁자의 수와 의자의 수 사이의 대응 관계 알아보기

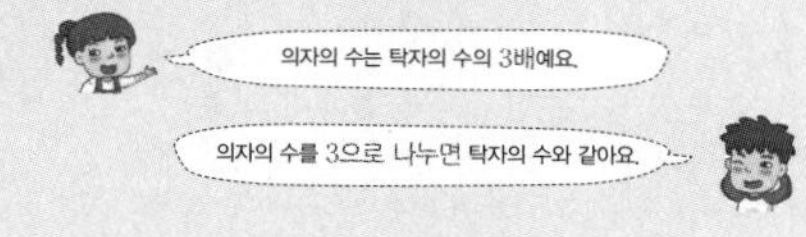

의자의 수는 탁자의 수의 3배예요.
의자의 수를 3으로 나누면 탁자의 수와 같아요.

• 도형의 배열에서 대응 관계 알아보기

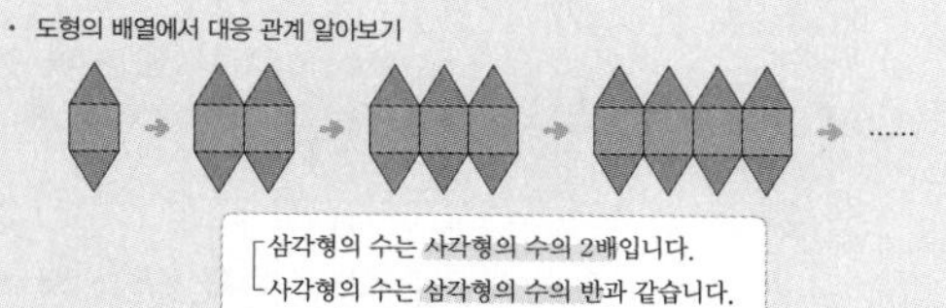

삼각형의 수는 사각형의 수의 2배입니다.
사각형의 수는 삼각형의 수의 반과 같습니다.

개념 확인 문제

정답과 풀이 p.1

1-1 네발자전거의 수와 바퀴의 수 사이에는 어떤 대응 관계가 있는지 □ 안에 알맞은 수를 써넣으세요.

자전거의 수가 1대씩 늘어날 때마다 바퀴의 수는 [4]개씩 늘어납니다.

바퀴의 수는 자전거의 수의 [4]배입니다.

✤ 자전거의 수가 1대씩 늘어날 때마다 바퀴의 수는 4개씩 늘어납니다.

1-2 도형의 배열을 보고 물음에 답하세요.

(1) 다음에 이어질 알맞은 모양을 그려 보세요.

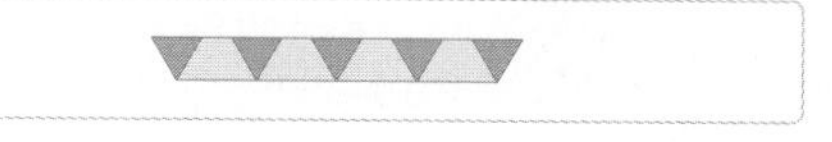

(2) 노란색 사각형의 수와 파란색 삼각형의 수 사이에는 어떤 대응 관계가 있는지 □ 안에 알맞은 수를 써넣으세요.

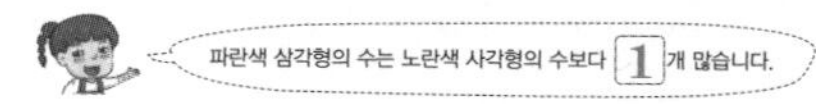

(3) 노란색 사각형의 수와 파란색 삼각형의 수 사이의 대응 관계를 생각하며 □ 안에 알맞은 수를 써넣으세요.

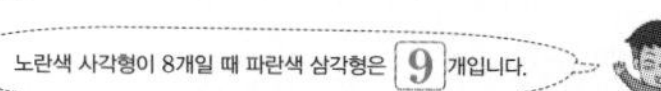

✤ 파란색 삼각형의 수는 노란색 사각형의 수보다 1개 많으므로 노란색 사각형이 8개일 때 파란색 삼각형은 9개입니다.

1단계 교과서 개념 잡기

개념 2 두 양 사이의 대응 관계 알아보기

- 규칙적인 배열에서 대응 관계 알아보기

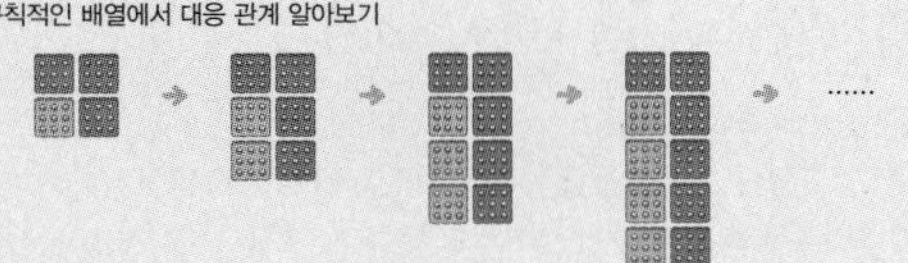

(1) 초록색 사각판과 빨간색 사각판의 배열이 변하는 규칙 알아보기

위에 있는 빨간색 사각판 2개는 변하지 않고,
그 아래에 있는 초록색 사각판과 빨간색 사각판의 수가 각각 1개씩 늘어납니다.

(2) 초록색 사각판의 수와 빨간색 사각판의 수 사이의 대응 관계를 표를 이용하여 알아보기

초록색 사각판의 수(개)	1	2	3	4	……
빨간색 사각판의 수(개)	3 (1+2)	4 (2+2)	5 (3+2)	6 (4+2)	……

변하는 수 / 변하지 않는 수

초록색 사각판의 수가 1개, 2개, 3개……로 늘어나고, 빨간색 사각판의 수가 3개, 4개, 5개……로 늘어나요.

(3) 초록색 사각판의 수와 빨간색 사각판의 수 사이의 대응 관계 알아보기

대응 관계
- 초록색 사각판의 수는 빨간색 사각판의 수보다 2개 적습니다.
- 빨간색 사각판의 수는 초록색 사각판의 수보다 2개 많습니다.

(4) 초록색 사각판이 10개일 때 빨간색 사각판의 수 알아보기

빨간색 사각판의 수는 초록색 사각판의 수보다 2개 많으므로
초록색 사각판이 10개이면 빨간색 사각판은 $10+2=12$(개)입니다.

개념 확인 문제

정답과 풀이 p.2

2-1 사각형과 원으로 규칙적인 배열을 만들고 있습니다. 물음에 답하세요.

(1) 사각형의 수와 원의 수가 어떻게 변하는지 살펴보고 표를 완성해 보세요.

사각형(■)의 수(개)	1	2	3	4	……
원(●)의 수(개)	3	4	5	6	……

(2) 사각형이 7개일 때 원은 몇 개 필요할까요?

(9개)

✤ 원의 수는 사각형의 수보다 2개 많습니다.
➔ $7+2=9$(개)

(3) 사각형의 수와 원의 수 사이의 대응 관계를 바르게 설명한 사람은 누구일까요?

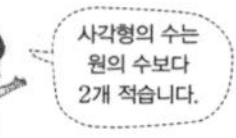

(윤하)

✤ 원의 수는 사각형의 수보다 2개 많습니다.
따라서 사각형의 수는 원의 수보다 2개 적습니다.

2-2 피자의 수와 피자 조각의 수 사이에는 어떤 대응 관계가 있는지 알아보려고 합니다. 표를 완성하고 □ 안에 알맞은 수를 써넣으세요.

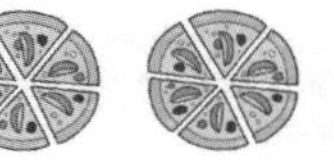
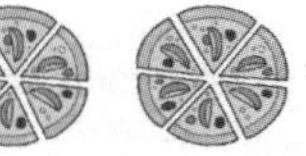

피자의 수(판)	1	2	3	4	……
피자 조각의 수(개)	6	12	18	24	……

(1) 피자 조각의 수는 피자의 수의 [6]배입니다.

(2) 피자가 5판이면 피자 조각은 [30]개입니다.

✤ 피자가 1판씩 늘어날 때마다 피자 조각의 수는 6개씩 늘어납니다.

✤ 피자 조각의 수는 피자의 수의 6배이므로 피자가 5판이면 피자 조각은 $5\times6=30$(개)입니다.

1주 교과서

10쪽 ~ 11쪽

개념 3 대응 관계를 식으로 나타내기

- 버스 정류장 지붕의 수와 의자의 수 사이의 대응 관계를 식으로 나타내기

(1) 버스 정류장 지붕의 수와 의자의 수 사이의 대응 관계를 표를 이용하여 알아보기

지붕의 수(개)	1	2	3	4	……
의자의 수(개)	5	10	15	20	……

지붕의 수가 1개씩 늘어날 때, 의자의 수는 5개씩 늘어나요.

(2) 버스 정류장 지붕의 수와 의자의 수 사이의 대응 관계 알아보기

대응 관계
- 의자의 수는 지붕의 수의 5배입니다.
  ➔ 지붕의 수 × 5 = 의자의 수
- 지붕의 수는 의자의 수를 5로 나눈 몫입니다.
  ➔ 의자의 수 ÷ 5 = 지붕의 수

(3) 지붕의 수를 ●, 의자의 수를 ■라 할 때 ●와 ■ 사이의 대응 관계를 식으로 나타내기

(지붕의 수)×5=(의자의 수) 또는 (의자의 수)÷5=(지붕의 수) ➔ ●×5=■ 또는 ■÷5=●

두 양 사이의 대응 관계를 식으로 간단하게 나타낼 때는
각 양을 ●, ■, ▲, ★ 등과 같은 기호로 표현할 수 있습니다.

(4) 지붕의 수가 5개이면 의자의 수는 $5\times5=25$(개)입니다.

개념 확인 문제

정답과 풀이 p.2

3-1 케이크 한 개에 양초가 7개씩 꽂혀 있습니다. 물음에 답하세요.

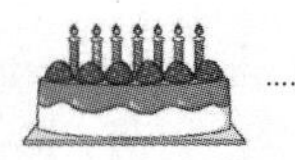

(1) 케이크의 수와 양초의 수 사이의 대응 관계를 표를 이용하여 알아보세요.

케이크의 수(개)	1	2	3	4	5	……
양초의 수(개)	7	14	21	28	35	……

✤ 케이크가 한 개씩 늘어날 때마다 양초는 7개씩 늘어납니다.

(2) 빈 곳에 ×, ÷, =를 알맞게 써넣어 케이크의 수와 양초의 수 사이의 대응 관계를 식으로 나타내어 보세요.

➔ 케이크의 수 [×] 7 [=] 양초의 수

✤ 양초의 수는 케이크의 수의 7배입니다.

(3) 케이크의 수를 ◆, 양초의 수를 ●라고 할 때 두 양 사이의 대응 관계를 기호를 사용하여 식으로 나타내어 보세요.

예 ◆×7=● (또는 ●÷7=◆)

(4) 양초가 56개일 때 케이크는 몇 개일까요?

(8개)

✤ (3) (케이크의 수)×7=(양초의 수) ➔ ◆×7=●,
(양초의 수)÷7=(케이크의 수) ➔ ●÷7=◆
(4) (양초의 수)÷7=(케이크의 수) ➔ $56\div7=8$(개)

3-2 표를 보고 두 양 사이의 대응 관계를 찾아 식으로 나타내어 보세요.

(1)

♥	4	5	6	7	8	……
★	16	20	24	28	32	……

예 ♥×4=★ (또는 ★÷4=♥)

✤ ♥를 4배 하면 ★입니다. ➔ ♥×4=★, ★을 4로 나누면 ♥입니다. ➔ ★÷4=♥

(2)

◎	10	11	12	13	14	……
■	7	8	9	10	11	……

예 ◎−3=■ (또는 ■+3=◎)

✤ ■는 ◎보다 3 작습니다. ➔ ◎−3=■, ◎는 ■보다 3 큽니다. ➔ ■+3=◎

1주 교과서

1단계 교과서 개념 잡기

개념 4 생활 속에서 대응 관계를 찾아 식으로 나타내기

• 달걀의 수와 달걀판의 수 사이의 대응 관계를 찾아 식으로 나타내기

달걀판 하나에 달걀이 10개씩 들어 있습니다.

서로 대응하는 두 양	달걀의 수	달걀판의 수
대응 관계	(달걀판의 수)×10=(달걀의 수)	
	(달걀의 수)÷10=(달걀판의 수)	

달걀의 수를 ■, 달걀판의 수를 ▲라 할 때 두 양 사이의 대응 관계를 식으로 나타내기 → ▲×10=■ 또는 ■÷10=▲

• 주변에서 서로 대응하는 두 양을 찾아 대응 관계를 식으로 나타내기

(1) 서로 대응하는 두 양을 찾고 대응 관계 알아보기

서로 대응하는 두 양		대응 관계
와플의 수	딸기의 수	(와플의 수)×3=(딸기의 수)
와플의 수	블루베리의 수	(와플의 수)×6=(블루베리의 수)

(2) 두 양 사이의 대응 관계를 기호를 사용하여 식으로 나타내기

와플의 수를 ◆, 딸기의 수를 ●라고 할 때 두 양 사이의 대응 관계를 식으로 나타내기 → ◆×3=● 또는 ●÷3=◆

와플의 수를 ◆, 블루베리의 수를 ▲라 할 때 두 양 사이의 대응 관계를 식으로 나타내기 → ◆×6=▲ 또는 ▲÷6=◆

개념 확인 문제

정답과 풀이 p.3

4-1 영화의 관람료는 7000원입니다. 물음에 답하세요.

(1) 영화관의 관람객의 수와 관람료 사이의 대응 관계를 표를 이용하여 알아보세요.

관람객의 수(명)	1	2	3	4	5	......
관람료(원)	7000	14000	21000	28000	35000	......

✤ 관람객의 수가 1명씩 늘어날 때마다 관람료는 7000원씩 늘어납니다.

(2) 관람객의 수를 ★, 관람료를 ◎라고 할 때 ★과 ◎ 사이의 대응 관계를 식으로 나타내어 보세요.

식 ★×7000=◎ (또는 ◎÷7000=★)

✤ (관람객의 수)×7000=(관람료) ➔ ★×7000=◎

(3) 8명이 영화를 관람하려면 얼마를 내야 할까요?

(56000원)

✤ (관람객의 수)×7000=(관람료)이므로 8명이 영화를 관람하려면 8×7000=56000(원)을 내야 합니다.

4-2 과자 한 상자에 과자가 12개씩 들어 있습니다. 과자 상자의 수를 ♥, 과자의 수를 ▲라고 할 때 두 양 사이의 대응 관계를 식으로 나타내려고 합니다. □ 안에 알맞은 식을 써넣으세요.

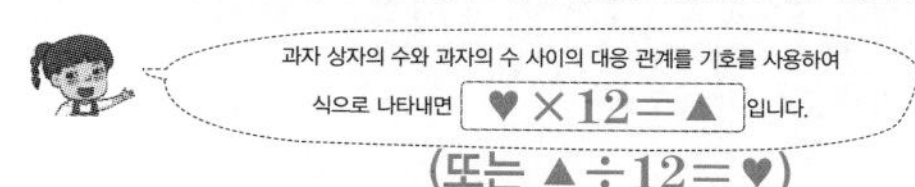

(또는 ▲÷12=♥)

✤ (과자 상자의 수)×12=(과자의 수) ➔ ♥×12=▲
(과자의 수)÷12=(과자 상자의 수) ➔ ▲÷12=♥

4-3 칠판에 미술 작품을 자석으로 붙이고 있습니다. 미술 작품의 수와 자석의 수 사이의 대응 관계를 찾아 식으로 나타내어 보세요.

➔ 미술 작품의 수를 ★, 자석의 수를 ■라고 할 때 두 양 사이의 대응 관계를 기호를 사용하여 식으로 나타내면 ★+1=■ 입니다.

(또는 ■−1=★)

✤ (미술 작품의 수)+1=(자석의 수) ➔ ★+1=■,
(자석의 수)−1=(미술 작품의 수) ➔ ■−1=★

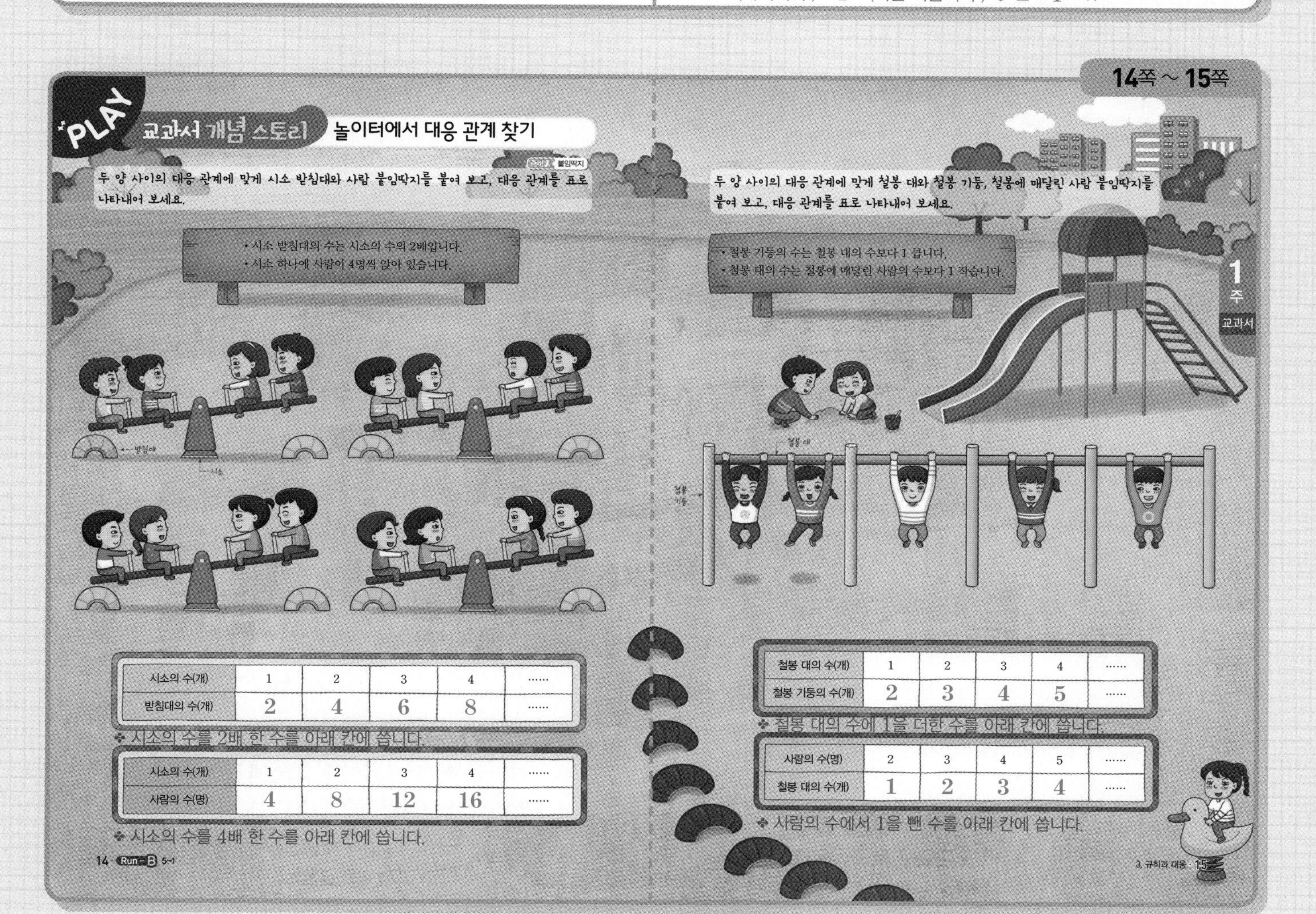

시소의 수(개)	1	2	3	4	......
받침대의 수(개)	2	4	6	8	......

✤ 시소의 수를 2배 한 수를 아래 칸에 씁니다.

시소의 수(개)	1	2	3	4	......
사람의 수(명)	4	8	12	16	......

✤ 시소의 수를 4배 한 수를 아래 칸에 씁니다.

철봉 대의 수(개)	1	2	3	4	......
철봉 기둥의 수(개)	2	3	4	5	......

✤ 철봉 대의 수에 1을 더한 수를 아래 칸에 씁니다.

사람의 수(명)	2	3	4	5	......
철봉 대의 수(개)	1	2	3	4	......

✤ 사람의 수에서 1을 뺀 수를 아래 칸에 씁니다.

16쪽 ~ 17쪽

PLAY 교과서 개념 스토리 빵 가게에서 대응 관계 찾기

윤희는 삼촌과 함께 빵 가게에 갔어요. 빵 가게에서 서로 대응하는 두 양을 찾아 표로 나타내고, 대응 관계를 붙임딱지를 붙여 식으로 나타내어 보세요.

봉투의 수와 바게트의 수 사이의 대응 관계를 표를 이용하여 알아보세요.

봉투의 수(개)	1	2	3	4	……
바게트의 수(개)	3	6	9	12	……

봉투의 수와 바게트의 수 사이의 대응 관계를 식으로 나타내어 보세요.

봉투의 수 × 3 = 바게트의 수

(또는 바게트의 수 ÷ 3 = 봉투의 수)

봉지의 수와 쿠키의 수 사이의 대응 관계를 표를 이용하여 알아보세요.

봉지의 수(개)	1	2	3	4	……
쿠키의 수(개)	7	14	21	28	……

봉지의 수와 쿠키의 수 사이의 대응 관계를 두 가지 식으로 나타내어 보세요.

봉지의 수 × 7 = 쿠키의 수

쿠키의 수 ÷ 7 = 봉지의 수

위에 있는 세모 모양 깃발이 한 장씩 늘어날 때마다 누름 못은 몇 개씩 늘어나는지 대응 관계를 표를 이용하여 알아보세요.

깃발의 수(장)	1	2	3	4	5	……
누름 못의 수(개)	2	3	4	5	6	……

깃발의 수와 누름 못의 수 사이의 대응 관계를 식으로 나타내어 보세요.

깃발의 수 + 1 = 누름 못의 수

(또는 누름 못의 수 − 1 = 깃발의 수)

삼촌은 몇 살이에요? 저는 올해 9살이에요.

삼촌은 올해 21살이야.

윤희의 나이와 삼촌의 나이 사이의 대응 관계를 표를 이용하여 알아보세요.

윤희의 나이(살)	9	10	11	12	13	……
삼촌의 나이(살)	21	22	23	24	25	……

윤희의 나이와 삼촌의 나이 사이의 대응 관계를 두 가지 식으로 나타내어 보세요.

윤희의 나이 + 12 = 삼촌의 나이

삼촌의 나이 − 12 = 윤희의 나이

16 Run-B 5-1 / 3. 규칙과 대응 · 17

18쪽 ~ 19쪽

2단계 교과서 개념 다지기

정답과 풀이 p.4

개념 1 서로 대응하는 두 양 사이의 대응 관계 찾아보기

01 버스의 수와 바퀴의 수 사이에는 어떤 대응 관계가 있는지 대응 관계를 나타내는 표를 완성하고 □ 안에 알맞은 수를 써넣으세요.

버스의 수(대)	1	2	3	4	5	……
바퀴의 수(개)	4	8	12	16	20	……

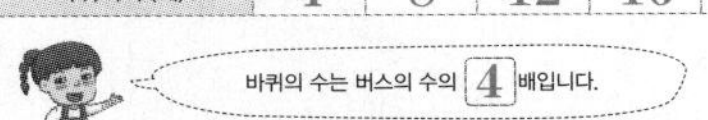

버스의 수는 바퀴의 수를 4 로 나눈 몫과 같습니다.

✤ 버스 한 대의 바퀴의 수는 4개입니다.

02 가래떡을 자른 횟수와 가래떡 조각의 수 사이에는 어떤 대응 관계가 있는지 알아보려고 합니다. 물음에 답하세요.

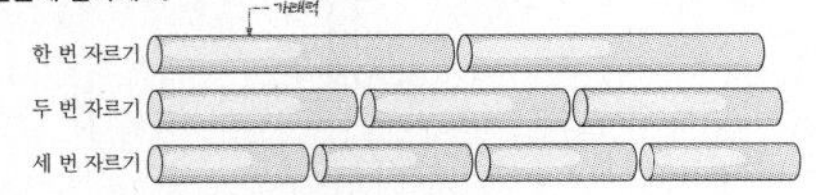

(1) 가래떡을 한 번 자르면 가래떡은 몇 조각이 될까요?

✤ 가래떡을 한 번 자르면 가래떡은 2조각이 됩니다. (2조각)

(2) 가래떡을 자른 횟수와 가래떡 조각의 수 사이의 대응 관계를 표로 나타내어 보세요.

가래떡을 자른 횟수(번)	1	2	3	4	5	……
가래떡 조각의 수(조각)	2	3	4	5	6	……

(3) □ 안에 알맞은 수를 써넣으세요.

가래떡 조각의 수는 가래떡을 자른 횟수보다 1 큽니다.

개념 2 표를 이용하여 두 양 사이의 대응 관계 알아보기

03 ■와 ★ 사이의 대응 관계를 나타낸 표입니다. □ 안에 알맞은 수를 써넣으세요.

■	1	2	3	4	5	6	7	……
★	3	4	5	6	7	8	9	……

→ ★은 ■보다 2 큽니다.

→ ■는 ★보다 2 작습니다.

✤ ■에 2를 더하면 ★이 됩니다.

04 다음을 읽고 윤하가 줄넘기를 하는 날수와 줄넘기 횟수 사이의 대응 관계를 표로 나타내어 보세요.

윤하는 하루에 줄넘기를 70번씩 매일 합니다.

날수(일)	1	2	3	4	5	6	……
줄넘기 횟수(번)	70	140	210	280	350	420	……

✤ 줄넘기를 1일 동안 70번, 2일 동안 $70 \times 2 = 140$(번), 3일 동안 $70 \times 3 = 210$(번), 4일 동안 $70 \times 4 = 280$(번), 5일 동안 $70 \times 5 = 350$(번), 6일 동안 $70 \times 6 = 420$(번) 합니다.

05 ●와 ▲ 사이의 대응 관계를 나타낸 표입니다. 물음에 답하세요.

●	5	6	7	8	9	10	11	……
▲	8	9	10	11	12	13	14	……

(1) 위의 표의 빈칸에 알맞은 수를 써넣으세요.

(2) ●와 ▲ 사이의 대응 관계를 써 보세요.

예 ▲는 ●보다 3 큽니다. (또는 ●는 ▲보다 3 작습니다.)

(3) ●가 15일 때 ▲는 얼마일까요?

✤ ▲는 ●보다 3 크므로 ●가 15일 때 ▲는 $15 + 3 = 18$입니다. (18)

18 · Run-B 5-1 / 3. 규칙과 대응 · 19

개념 3 두 양 사이의 대응 관계 알아보기

06 오리의 수와 오리 다리의 수 사이의 대응 관계를 찾아 □ 안에 알맞은 수를 써넣으세요.

오리 다리의 수는 오리의 수의 [2]배입니다.

➔ (오리의 수)×[2]=(오리 다리의 수)

✤ 오리 한 마리의 다리는 2개입니다.

07 삼각대의 수와 삼각대 다리의 수 사이의 대응 관계를 써 보세요.

(삼각대의 수)×[3]=(삼각대 다리의 수)

✤ 삼각대 한 개의 다리는 3개입니다.

08 화분의 수와 꽃의 수 사이에는 어떤 대응 관계가 있는지 알아보려고 합니다. 물음에 답하세요.

(1) 화분의 수와 꽃의 수 사이의 대응 관계를 표를 이용하여 알아보세요.

화분의 수(개)	1	2	3	4	5
꽃의 수(송이)	4	8	12	16	20

(2) □ 안에 알맞은 수를 써넣으세요.

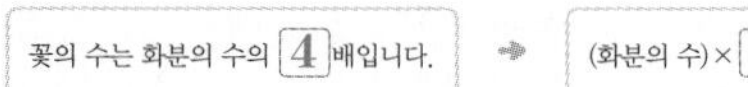

꽃의 수는 화분의 수의 [4]배입니다. ➔ (화분의 수)×[4]=(꽃의 수)

개념 4 대응 관계를 식으로 나타내기

09 무당벌레의 수를 □, 무당벌레 다리의 수를 △라고 할 때 두 양 사이의 대응 관계를 식으로 바르게 나타낸 것을 찾아 기호를 써 보세요.

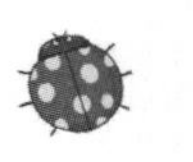

㉠ □÷6=△
㉡ □×6=△
㉢ □+6=△
㉣ □−6=△

(㉡)

✤ 무당벌레 한 마리의 다리는 6개입니다.
(무당벌레의 수)×6=(무당벌레 다리의 수)
➔ □×6=△ (또는 △÷6=□)

10 ★과 ● 사이의 대응 관계를 찾아 표를 완성하고 대응 관계를 식으로 나타내어 보세요.

★	6	7	8	9	10	11	......
●	2	3	4	5	6	7	......

식 ★−4=● (또는 ●+4=★)

✤ ★에서 4를 빼면 ●가 됩니다. ➔ ★−4=●
●에 4를 더하면 ★이 됩니다. ➔ ●+4=★

11 관계있는 것끼리 선으로 이어 보세요.

①

■	1	2	3	4	5
♥	5	10	15	20	25

②

■	3	4	5	6	7
♥	8	9	10	11	12

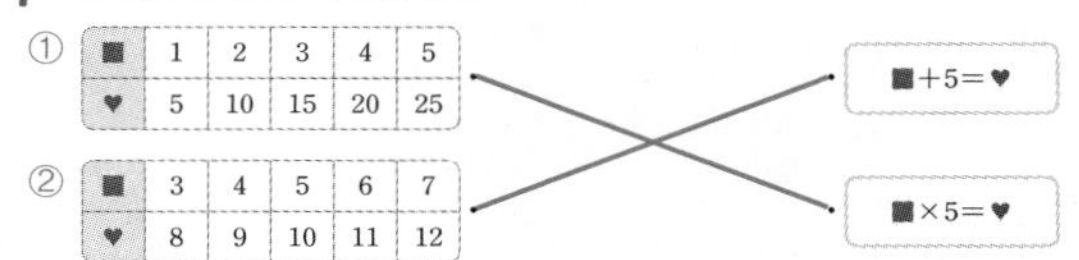

■+5=♥

■×5=♥

✤ ① ♥는 ■의 5배입니다. ➔ ■×5=♥
② ♥는 ■보다 5 큰 수입니다. ➔ ■+5=♥

2 단계 교과서 개념 다지기

개념 5 생활 속에서 대응 관계 찾아보기

12 그림에서 서로 대응하는 두 양을 찾아 대응 관계를 써 보세요.

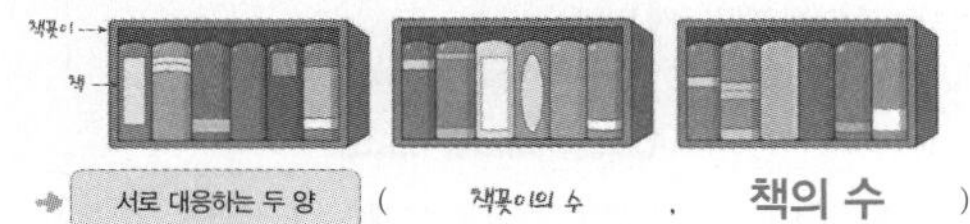

➔ 서로 대응하는 두 양 (책꽂이의 수 , 책의 수)

➔ 대응 관계 ((책꽂이의 수)×6=(책의 수))
(또는 (책의 수)÷6=(책꽂이의 수))

✤ 대응 관계를 문장으로 써도 정답으로 인정합니다.

13 그림에서 서로 대응하는 두 양을 찾아 대응 관계를 써 보세요.

(1)

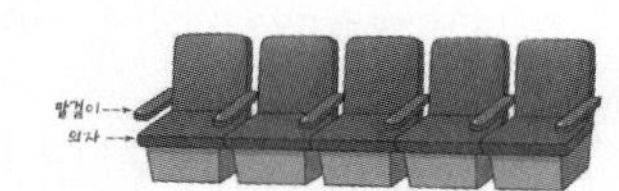

➔ 서로 대응하는 두 양 (의자의 수 , 팔걸이의 수)

➔ 대응 관계 ((의자의 수)+1=(팔걸이의 수))
(또는 (팔걸이의 수)−1=(의자의 수))

(2)

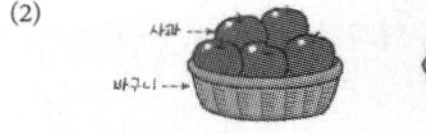

➔ 서로 대응하는 두 양 (바구니의 수 , 사과의 수)

➔ 대응 관계 ((바구니의 수)×5=(사과의 수))
(또는 (사과의 수)÷5=(바구니의 수))

✤ (1) 팔걸이의 수는 의자의 수보다 1개 많습니다.
(2) 바구니 하나에 사과가 5개씩 들어 있습니다.

개념 6 생활 속에서 대응 관계를 찾아 식으로 나타내기

14 6쪽으로 나뉘어져 있는 육쪽마늘을 보고 물음에 답하세요.
(쪽: 쪼개진 물건의 부분을 세는 단위)

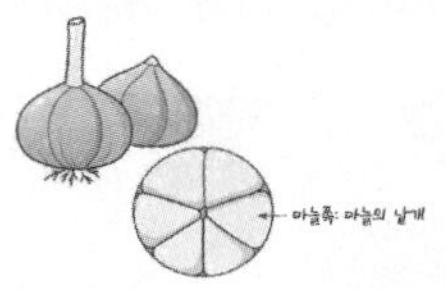

(1) 마늘의 수와 마늘쪽의 수 사이의 대응 관계를 표를 이용하여 알아보세요.

마늘의 수(개)	1	2	3	4	5	......
마늘쪽의 수(쪽)	6	12	18	24	30	......

(2) 마늘의 수를 ■, 마늘쪽의 수를 ◎라고 할 때 두 양 사이의 대응 관계를 식으로 나타내어 보세요.

식 ■×6=◎ (또는 ◎÷6=■)

✤ 마늘 1개가 6쪽이므로 마늘쪽의 수는 마늘의 수의 6배입니다.
(마늘의 수)×6=(마늘쪽의 수) ➔ ■×6=◎

15 진영이의 나이와 연도 사이의 대응 관계를 기호를 사용하여 식으로 나타내려고 합니다. 물음에 답하세요.

진영이의 나이(살)	12	13	14	15	16
연도(년)	2020	2021	2022	2023	2024

(1) 위의 표를 완성해 보세요.

(2) 진영이의 나이를 △, 연도를 □라고 할 때 두 양 사이의 대응 관계를 식으로 나타내어 보세요.

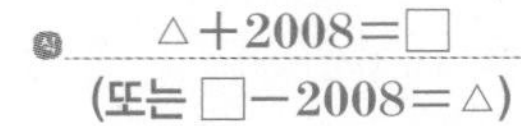

식 △+2008=□
(또는 □−2008=△)

✤ 진영이의 나이에 2008을 더하면 연도와 같습니다.

3단계 교과서 실력 다지기

정답과 풀이 p.6

두 양 사이의 대응 관계를 나타낸 식

1 버스 한 대에 15명씩 타고 있습니다. 버스의 수를 ◎, 사람의 수를 ■라고 할 때 두 양 사이의 대응 관계를 바르게 나타낸 것을 모두 찾아 기호를 써 보세요.

㉠ ◎×15=■
㉡ ■×15=◎
㉢ ■÷15=◎

답 ㉠, ㉢

개념 피드백
• 두 양 ◎와 ■ 사이의 대응 관계를 나타낸 식 찾기
① ◎가 1일 때 ■의 수를 알아보고, ◎가 2일 때 ■의 수를 알아봅니다.
② ■가 어떻게 변하는지 알아보고 식으로 바르게 나타낸 것을 찾습니다.

✤ • 버스의 수를 15배 하면 사람의 수가 됩니다. ➔ ◎×15=■
• 버스 한 대에 15명씩 타고 있으므로 사람의 수를 15로 나누면 버스의 수가 됩니다.
➔ ■÷15=◎

1-1 5명씩 앉을 수 있는 의자가 있습니다. 의자의 수를 ★, 앉을 수 있는 사람의 수를 ●라고 할 때 두 양 사이의 대응 관계를 바르게 나타낸 것을 모두 찾아 기호를 써 보세요.

㉠ ★+5=●
㉡ ★×5=●
㉢ ●÷5=★

(㉡, ㉢)

✤ 의자 한 개에 5명씩 앉을 수 있으므로 의자의 수를 5배 하면 사람의 수가 됩니다. ➔ ★×5=●
앉을 수 있는 사람의 수를 5로 나누면 의자의 수가 됩니다. ➔ ●÷5=★

1-2 대응 관계를 나타낸 식을 보고 식에 알맞은 상황을 만든 사람을 찾아 이름을 써 보세요.

■+2=▲

승기: 형의 나이(▲)는 내 나이(■)보다 2살 많습니다.
민영: 음료수의 수(▲)는 빨대의 수(■)와 같습니다.

(승기)

✤ ▲는 ■보다 2 크므로 식에 알맞은 상황을 만든 사람은 승기입니다.
[참고] 민영이가 만든 상황을 기호를 사용하여 식으로 나타내면 ▲=■입니다.

대응 관계를 식으로 나타내고 알맞은 값 구하기

2 연필이 한 상자에 12자루씩 들어 있습니다. 연필의 수를 ▲, 상자의 수를 ●라고 할 때 물음에 답하세요.

(1) 연필의 수와 상자의 수 사이의 대응 관계를 ▲와 ●를 사용하여 식으로 나타내어 보세요.

식 ●×12=▲ (또는 ▲÷12=●)

(2) 연필 156자루는 상자 몇 개에 들어 있는지 구해 보세요.

답 13개

1주 교과서

개념 피드백
• 서로 대응하는 두 양 중에서 하나를 구하는 방법
① 두 양 사이의 대응 관계를 기호를 사용하여 식으로 나타냅니다.
② 주어진 값을 기호 자리에 넣고 나머지 값을 구합니다.

✤ (2) ▲ 자리에 156을 쓰고, ●에 알맞은 수를 구합니다.
●×12=▲ ➔ ●×12=156, ●=156÷12=13

2-1 음료수 한 캔에 설탕이 25 g 들어 있다고 합니다. 음료수 캔의 수를 ■(캔), 설탕의 양을 ▲ (g)이라고 할 때 물음에 답하세요.

(1) 음료수 캔의 수와 설탕의 양 사이의 대응 관계를 ■와 ▲를 사용하여 식으로 나타내어 보세요.

식 ■×25=▲ (또는 ▲÷25=■)

(2) 설탕 125 g은 음료수 몇 캔에 들어 있는 양인지 구해 보세요.

(5캔)

✤ ■×25=▲ ➔ ■×25=125, ■=125÷25=5

3단계 교과서 실력 다지기

정답과 풀이 p.6

표를 이용하여 대응 관계 알아보기

3 사각형과 삼각형으로 규칙적인 배열을 만들고 있습니다. 변하는 부분과 변하지 않는 부분을 생각하며, 도형의 수가 어떻게 변하는지 표를 완성하고 □ 안에 알맞은 수를 써넣으세요.

삼각형 사각형 → → → ?

사각형의 수(개)	1	2	3	4	5	……
삼각형의 수(개)	2	3	4	5	6	……

➔ 사각형이 15개일 때 삼각형은 16개입니다.

개념 피드백
• 사각형과 삼각형으로 규칙적인 배열을 만들 때 대응 관계 알아보기
① 사각형과 삼각형이 몇 개씩 늘어나는지 알아봅니다.
② 삼각형과 사각형의 수의 차를 알아봅니다.

✤ 삼각형의 수는 사각형의 수보다 항상 1개 많습니다.

3-1 별과 하트로 규칙적인 배열을 만들고 있습니다. 물음에 답하세요.

 →  →  → ?

(1) 별의 수와 하트의 수가 어떻게 변하는지 표를 완성해 보세요.

별의 수(개)	1	2	3	4	5	……
하트의 수(개)	3	4	5	6	7	……

(2) 별의 수와 하트의 수 사이의 대응 관계를 바르게 설명한 것을 찾아 기호를 써 보세요.

㉠ 하트의 수는 별의 수의 2배입니다.
㉡ 별의 수는 하트의 수보다 2개 적습니다.
㉢ 하트의 수는 별의 수보다 2개 적습니다.

(㉡)

✤ (1) 별의 수와 하트의 수가 각각 1개씩 늘어납니다.
(2) 위에 하트가 2개 있고 그 아래에 별과 하트가 한 줄에 같은 수만큼 있으므로 별의 수는 하트의 수보다 항상 2개 적습니다.

도형의 배열에서 대응 관계 알아보기

4 영지는 성냥개비로 그림과 같이 삼각형을 만들고 있습니다. 삼각형 8개를 만드는 데 필요한 성냥개비는 몇 개인지 구해 보세요.

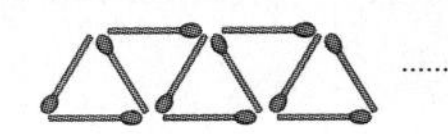

(1) 삼각형의 수와 성냥개비의 수 사이의 대응 관계를 표로 나타내어 보세요.

삼각형의 수(개)	1	2	3	4	5	……
성냥개비의 수(개)	3	5	7	9	11	……

1주 교과서

(2) 삼각형의 수와 성냥개비의 수 사이의 대응 관계를 찾아 □ 안에 알맞은 수를 써넣으세요.

삼각형 1개를 만드는 데 성냥개비가 3개 필요하고,
삼각형이 1개씩 늘어날 때, 성냥개비는 2개씩 늘어납니다.

(3) 삼각형 8개를 만드는 데 필요한 성냥개비의 수를 구해 보세요.

답 17개

개념 피드백
• 성냥개비로 삼각형을 만들 때 대응 관계 알아보기
① 두 양 사이의 대응 관계를 표를 이용하여 알아봅니다.
② 삼각형이 1개씩 늘어날 때 성냥개비는 몇 개씩 늘어나는지 알아봅니다.

✤ (3) 삼각형 6개를 만드는 데 성냥개비는 13개, 삼각형 7개를 만드는 데 성냥개비는 15개, 삼각형 8개를 만드는 데 성냥개비는 17개 필요합니다.

4-1 가영이는 면봉으로 그림과 같이 정오각형을 만들고 있습니다. 정오각형 8개를 만드는 데 필요한 면봉은 몇 개인지 구해 보세요.

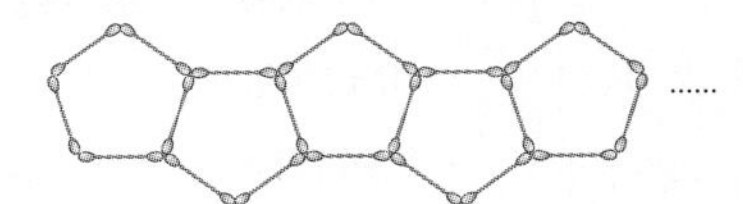

(33개)

✤

정오각형의 수(개)	1	2	3	4	5	……
면봉의 수(개)	5	9	13	17	21	……

+4 +4 +4 +4

정오각형 6개를 만드는 데 면봉은 25개, 정오각형 7개를 만드는 데 면봉은 29개, 정오각형 8개를 만드는 데 면봉은 33개 필요합니다.

정답과 풀이 p.7

규칙적인 배열에서 대응 관계 알아보기

5 그림과 같이 바둑돌을 늘어놓았습니다. 12째에 늘어놓은 바둑돌은 모두 몇 개인지 구해 보세요.

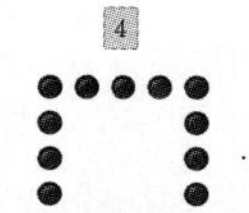

(1) 배열 순서와 바둑돌의 수 사이의 대응 관계를 표를 이용하여 알아보세요.

배열 순서	1	2	3	4	……
바둑돌의 수(개)	4	8	12	16	……

(2) 배열 순서와 바둑돌의 수 사이의 대응 관계를 써 보세요.

(배열 순서)×4=(바둑돌의 수)

(3) 12째에 늘어놓은 바둑돌은 모두 몇 개일까요?

답 48개

개념 피드백
• 바둑돌을 규칙적으로 늘어놓을 때 대응 관계 알아보기
① 배열 순서를 나타내는 수와 바둑돌의 수를 표로 나타내어 봅니다.
② 배열 순서와 바둑돌의 수 사이의 대응 관계를 알아봅니다.

✤ (2) ■째에 늘어놓은 바둑돌은 (■×4)개입니다.
(3) 12×4=48(개)

5-1 구슬로 규칙적인 배열을 만들고 있습니다. 25째에 놓을 구슬은 몇 개인지 구해 보세요.

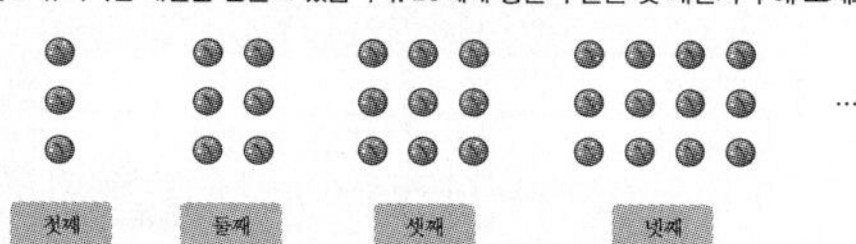

(75개)

✤

배열 순서	1	2	3	4	……
구슬의 수(개)	3	6	9	12	……

구슬의 수가 첫째에는 1×3=3(개), 둘째에는 2×3=6(개), 셋째에는 3×3=9(개), 넷째에는 4×3=12(개)입니다.
즉 □째에는 구슬이 (□×3)개이므로 25째에는 구슬이 25×3=75(개)입니다.

생활 속에서 대응 관계를 찾아 식으로 나타내기

6 수정이와 동생이 매주 저금을 하려고 합니다. 수정이는 가지고 있던 1000원을 저금하였고, 동생은 500원을 저금하였습니다. 그 다음 주부터 두 사람 모두 1주일에 각각 1000원씩 저금을 하기로 했을 때 두 양 사이의 대응 관계를 식으로 나타내어 보세요.

(1) 수정이와 동생이 모은 돈 사이의 대응 관계를 표를 이용하여 알아보세요.

	시작 일	1주일 후	2주일 후	3주일 후	……
수정이가 모은 돈(원)	1000	2000	3000	4000	……
동생이 모은 돈(원)	500	1500	2500	3500	……

(2) 수정이가 모은 돈을 ◎, 동생이 모은 돈을 △라고 할 때 두 양 사이의 대응 관계를 식으로 나타내어 보세요.

식 ◎−500=△ (또는 △+500=◎)

개념 피드백
• 두 사람이 모은 돈 사이의 대응 관계 알아보기
① 두 사람이 모은 돈을 비교하여 누가 얼마 더 많은지 알아봅니다.
② 두 양 사이의 대응 관계를 기호를 사용하여 식으로 나타냅니다.

6-1 지하철이 1초에 30 m를 이동한다고 합니다. 지하철이 이동하는 시간을 ★(초), 이동하는 거리를 ◆ (m)라고 할 때 두 양 사이의 대응 관계를 식으로 나타내어 보세요.

식 ★×30=◆ (또는 ◆÷30=★)

✤ 1초 동안 지하철이 이동하는 거리: 1×30=30 (m)
2초 동안 지하철이 이동하는 거리: 2×30=60 (m)……
➔ (이동하는 시간)×30=(이동하는 거리) ➔ ★×30=◆

6-2 어느 옷 가게에서 바지를 한 벌에 5000원씩 판매하고 있습니다. 판매한 바지의 수를 ▲, 판매하고 받은 금액을 ■라고 할 때 ▲와 ■ 사이의 대응 관계를 식으로 나타내어 보세요.

식 ▲×5000=■ (또는 ■÷5000=▲)

✤ 바지 1벌을 판매하고 받은 금액: 1×5000=5000(원)
바지 2벌을 판매하고 받은 금액: 2×5000=10000(원)
바지 3벌을 판매하고 받은 금액: 3×5000=15000(원)……
➔ (판매한 바지의 수)×5000=(판매하고 받은 금액)
➔ ▲×5000=■

Test 교과서 서술형 연습

정답과 풀이 p.7

1 올해 수지는 15살이고 동생은 9살입니다. 수지가 27살일 때 동생은 몇 살인지 구해 보세요.

구하려는 것, 주어진 것에 선을 그어 봅니다.

해결하기 동생의 나이는 수지의 나이보다 6살 적으므로 수지의 나이와 동생의 나이 사이의 대응 관계를 식으로 나타내면 (수지의 나이)−6=(동생의 나이)입니다.
따라서 수지가 27살일 때 동생의 나이를 구하면 27−6=21(살)입니다.

답 구하기 21살

2 올해 아버지는 42살이고 어머니는 39살입니다. 아버지가 51살일 때 어머니는 몇 살인지 구해 보세요. (주어진 것 / 구하려는 것)

구하려는 것, 주어진 것에 선을 그어 봅니다.

해결하기 예 어머니의 나이는 아버지의 나이보다 3살 적으므로 아버지의 나이와 어머니의 나이 사이의 대응 관계를 식으로 나타내면 (아버지의 나이)−3=(어머니의 나이)입니다. 따라서 아버지가 51살일 때 어머니의 나이를 구하면 51−3=48(살)입니다.

답 구하기 48살

3 팔찌 하나를 만드는 데 비즈 9개가 필요합니다. 팔찌의 수와 필요한 비즈의 수 사이의 대응 관계를 기호를 사용하여 식으로 나타내고, 팔찌 15개를 만드는 데 필요한 비즈는 몇 개인지 구해 보세요.

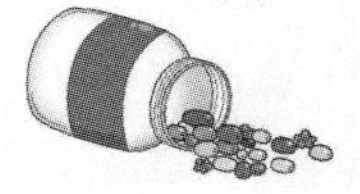

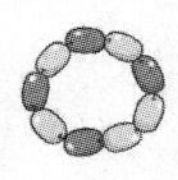

구하려는 것, 주어진 것에 선을 그어 봅니다.

해결하기 팔찌의 수를 ○, 필요한 비즈의 수를 △라고 하고 두 양 사이의 대응 관계를 기호를 사용하여 식으로 나타내면 ○×9=△ (또는 △÷9=○)입니다.
따라서 팔찌 15개를 만드는 데 필요한 비즈는 15×9=135(개)입니다.

식 구하기 ○×9=△ 답 구하기 135개

4 주아는 문방구에서 600원짜리 지우개를 사려고 합니다. 사려고 하는 지우개의 수와 주아가 내야 할 돈 사이의 대응 관계를 기호를 사용하여 식으로 나타내고, 주아가 지우개 8개를 사려면 돈을 얼마를 내야 하는지 구해 보세요. (주어진 것 / 구하려는 것)

구하려는 것, 주어진 것에 선을 그어 봅니다.

해결하기 예 지우개의 수를 ○, 주아가 내야 할 돈을 △라고 하고 두 양 사이의 대응 관계를 기호를 사용하여 식으로 나타내면 ○×600=△입니다. 따라서 주아가 지우개 8개를 사려면 돈을 8×600=4800(원)을 내야 합니다.

식 구하기 예 ○×600=△ (또는 △÷600=○) 답 구하기 4800원

✤ (지우개의 수)×600=(주아가 내야 할 돈) ➔ ○×600=△
[참고] 기호는 자유롭게 정할 수 있습니다.

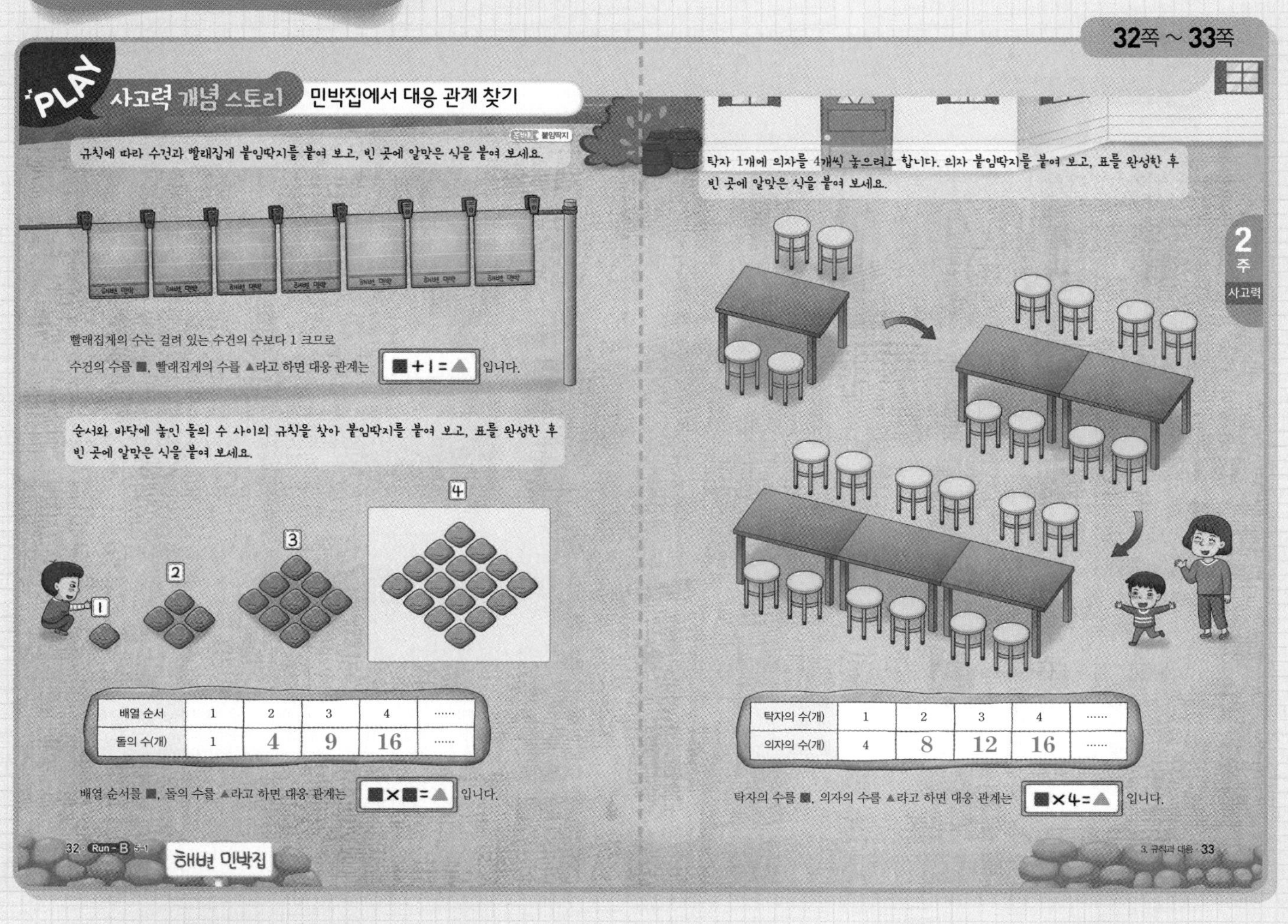

32쪽 ~ 33쪽

PLAY 사고력 개념 스토리 민박집에서 대응 관계 찾기

규칙에 따라 수건과 빨래집게 붙임딱지를 붙여 보고, 빈 곳에 알맞은 식을 붙여 보세요.

빨래집게의 수는 걸려 있는 수건의 수보다 1 크므로

수건의 수를 ■, 빨래집게의 수를 ▲라고 하면 대응 관계는 ■+1=▲ 입니다.

순서와 바닥에 놓인 돌의 수 사이의 규칙을 찾아 붙임딱지를 붙여 보고, 표를 완성한 후 빈 곳에 알맞은 식을 붙여 보세요.

배열 순서	1	2	3	4	......
돌의 수(개)	1	4	9	16	......

배열 순서를 ■, 돌의 수를 ▲라고 하면 대응 관계는 ■×■=▲ 입니다.

탁자 1개에 의자를 4개씩 놓으려고 합니다. 의자 붙임딱지를 붙여 보고, 표를 완성한 후 빈 곳에 알맞은 식을 붙여 보세요.

탁자의 수(개)	1	2	3	4	......
의자의 수(개)	4	8	12	16	......

탁자의 수를 ■, 의자의 수를 ▲라고 하면 대응 관계는 ■×4=▲ 입니다.

32 Run-B 5-1 해변 민박집 3. 규칙과 대응 · 33

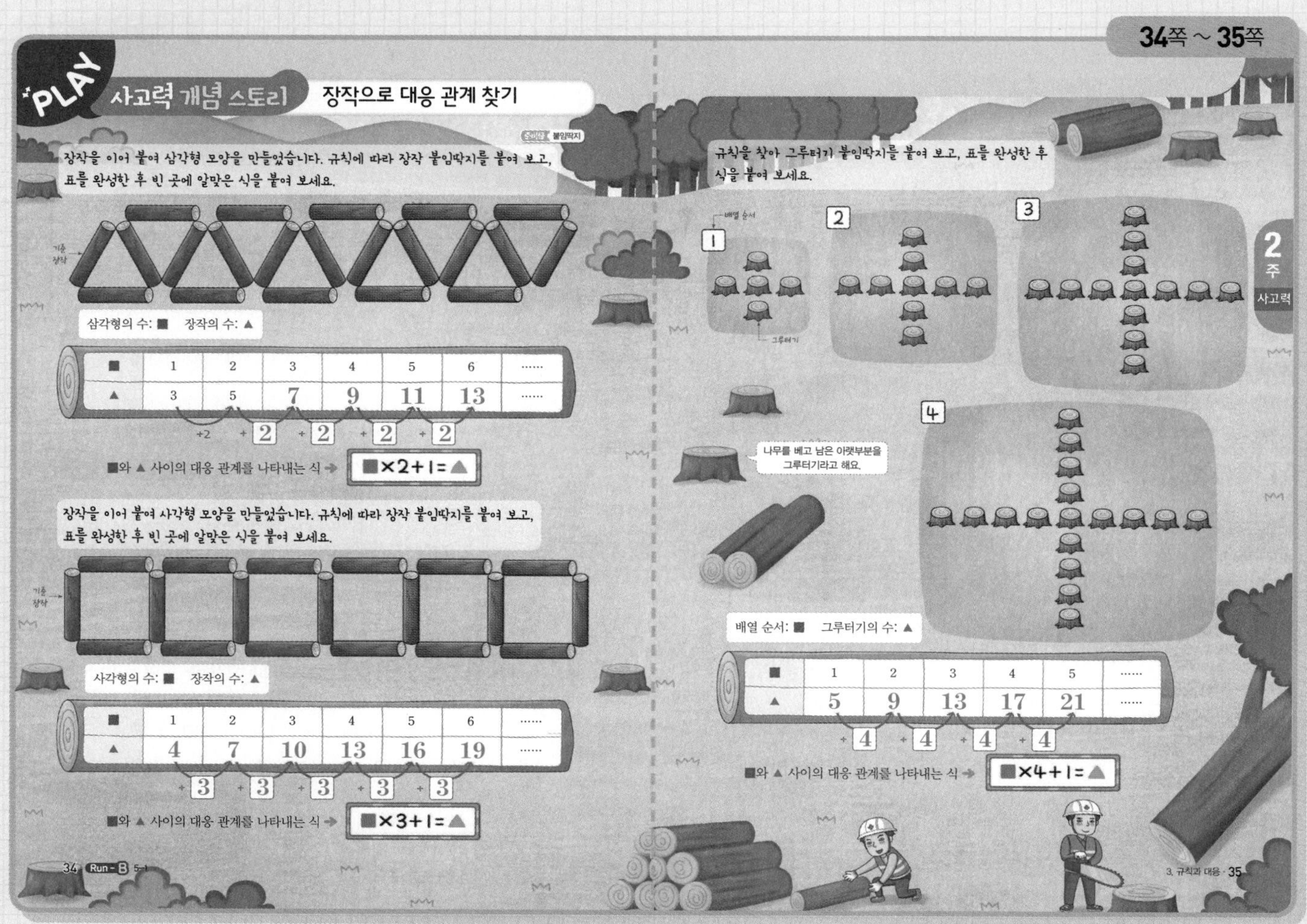

34쪽 ~ 35쪽

PLAY 사고력 개념 스토리 장작으로 대응 관계 찾기

장작을 이어 붙여 삼각형 모양을 만들었습니다. 규칙에 따라 장작 붙임딱지를 붙여 보고, 표를 완성한 후 빈 곳에 알맞은 식을 붙여 보세요.

삼각형의 수: ■ 장작의 수: ▲

■	1	2	3	4	5	6	......
▲	3	5	7	9	11	13	......

+2 +2 +2 +2 +2

■와 ▲ 사이의 대응 관계를 나타내는 식 → ■×2+1=▲

장작을 이어 붙여 사각형 모양을 만들었습니다. 규칙에 따라 장작 붙임딱지를 붙여 보고, 표를 완성한 후 빈 곳에 알맞은 식을 붙여 보세요.

사각형의 수: ■ 장작의 수: ▲

■	1	2	3	4	5	6	......
▲	4	7	10	13	16	19	......

+3 +3 +3 +3 +3

■와 ▲ 사이의 대응 관계를 나타내는 식 → ■×3+1=▲

규칙을 찾아 그루터기 붙임딱지를 붙여 보고, 표를 완성한 후 식을 붙여 보세요.

나무를 베고 남은 아랫부분을 그루터기라고 해요.

배열 순서: ■ 그루터기의 수: ▲

■	1	2	3	4	5	......
▲	5	9	13	17	21	......

+4 +4 +4 +4

■와 ▲ 사이의 대응 관계를 나타내는 식 → ■×4+1=▲

34 Run-B 5-1 3. 규칙과 대응 · 35

1단계 교과 사고력 잡기

정답과 풀이 p.9

1 영수가 2라고 말하면 혜미는 12라고 답하고, 영수가 10이라고 말하면 혜미는 60이라고 답하고, 영수가 8이라고 말하면 혜미는 48이라고 답합니다. 영수와 혜미의 대화를 보고 영수가 25라고 말하면 혜미는 어떤 수를 답해야 하는지 구해 보세요.

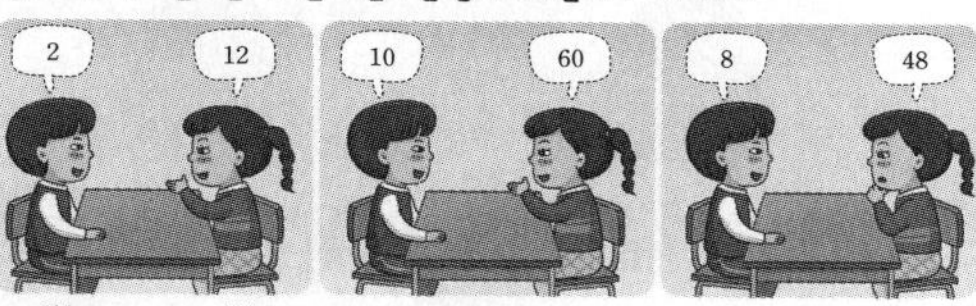

① □ 안에 알맞은 수를 써넣으세요.

나는 영수가 말한 수에 [6]을 곱한 수를 답하고 있어.

✤ (영수가 말한 수) × 6 = (혜미가 답한 수)

② 영수가 말한 수를 ■, 혜미가 답한 수를 ▲라고 할 때 두 양 사이의 대응 관계를 식으로 나타내어 보세요.

식 ■×6=▲
(또는 ▲÷6=■)

③ 영수가 25라고 말하면 혜미는 어떤 수를 답해야 할까요?

(150)

✤ ■=25일 때 ▲=25×6=150입니다.

2 긴 화단에 처음부터 끝까지 1 m 간격으로 해바라기를 심으려고 합니다. 심은 해바라기가 30송이일 때 화단의 길이는 몇 m인지 구해 보세요. (단 해바라기의 두께는 생각하지 않습니다.)

2주 사고력

① 화단의 길이와 해바라기의 수 사이의 대응 관계를 표로 나타내어 보세요.

화단의 길이(m)	1	2	3	4	5	……
해바라기의 수(송이)	2	3	4	5	6	……

✤ 화단의 길이가 1 m이면 처음과 끝에만 해바라기를 심습니다. ➔ 2송이
화단의 길이가 1 m씩 늘어날 때마다 해바라기의 수도 1송이씩 늘어납니다.

② 화단의 길이를 ▲ (m), 해바라기의 수를 ■(송이)라고 할 때 두 양 사이의 대응 관계를 식으로 나타내어 보세요.

식 ▲+1=■
(또는 ■−1=▲)

✤ 해바라기의 수는 화단의 길이보다 1 크므로 ▲에 1을 더하면 ■가 됩니다. ➔ ▲+1=■
화단의 길이는 해바라기의 수보다 1 작으므로 ■에서 1을 빼면 ▲가 됩니다. ➔ ■−1=▲

③ 화단의 길이가 10 m일 때 심어야 하는 해바라기는 몇 송이인지 구해 보세요.

(11송이)

✤ ▲=10일 때 ■=10+1=11입니다.
따라서 화단이 10 m일 때 심어야 하는 해바라기는 11송이입니다.

④ 심은 해바라기가 30송이일 때 화단의 길이는 몇 m인지 구해 보세요.

(29 m)

✤ ■=30일 때 ▲=30−1=29입니다.
따라서 심은 해바라기가 30송이일 때 화단의 길이는 29 m입니다.

1단계 교과 사고력 잡기

정답과 풀이 p.9

3 지성이는 길이가 5 cm인 색 테이프를 그림과 같이 1 cm씩 겹치게 이어 붙이고 있습니다. 색 테이프 10장을 이어 붙였을 때 이어 붙인 색 테이프의 전체 길이는 몇 cm인지 구해 보세요.

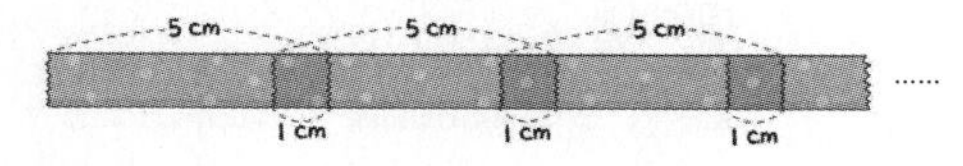

① 이어 붙인 색 테이프의 수와 겹친 부분의 수 사이의 대응 관계를 표를 이용하여 알아보세요.

이어 붙인 색 테이프의 수(장)	2	3	4	5	6	……
겹친 부분(군데)	1	2	3	4	5	……

② 이어 붙인 색 테이프의 수를 ◆, 겹친 부분의 수를 ◎라고 할 때 두 양 사이의 대응 관계를 식으로 나타내어 보세요.

식 ◆−1=◎
(또는 ◎+1=◆)

③ 색 테이프 10장을 이어 붙였을 때 겹친 부분은 몇 군데일까요?

(9군데)

✤ ◆가 10이므로 ◎는 10−1=9입니다.

④ 색 테이프 10장을 이어 붙였을 때 이어 붙인 색 테이프의 전체 길이는 몇 cm일까요?

(41 cm)

✤ 이어 붙인 색 테이프의 전체 길이는 5×10−1×9=50−9=41 (cm)입니다.

4 가, 나, 다 수도꼭지에서 물이 1분에 각각 8 L, 10 L, 12 L씩 나옵니다. 3개의 수도꼭지를 동시에 틀어서 물 900 L를 받으려면 몇 분이 걸리는지 구해 보세요.

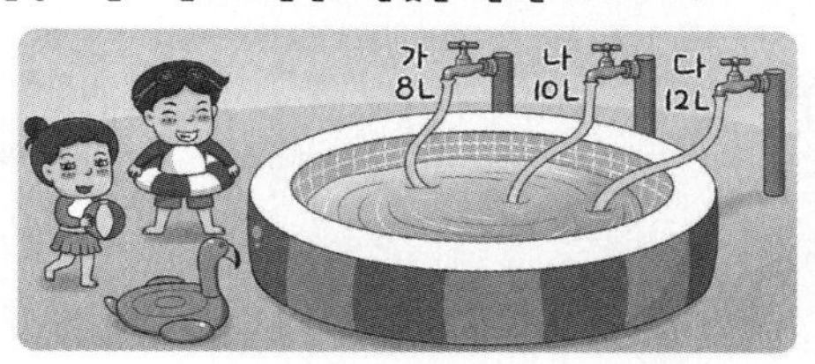

2주 사고력

① 수도꼭지 3개에서 1분 동안 나오는 물의 양은 모두 몇 L일까요?

(30 L)

✤ 8+10+12=30 (L)

② 수도꼭지 3개를 동시에 틀어서 물을 받는 시간을 ★(분), 받는 물의 양을 ■ (L)라고 할 때 두 양 사이의 대응 관계를 식으로 나타내어 보세요.

식 ★×30=■
(또는 ■÷30=★)

✤ 1분에 30 L씩 받으므로 (물을 받는 시간)×30=(받는 물의 양)입니다.
➔ ★×30=■

③ 수도꼭지 3개를 동시에 틀어서 물 900 L를 받으려면 몇 분이 걸리는지 구해 보세요.

(30분)

✤ ★×30=■ ➔ ★×30=900, ★=900÷30=30

정답과 풀이 p.10

1 카페에 들어갔더니 한 탁자에 의자가 4개씩 놓여 있습니다. 물음에 답하세요.

① 탁자의 수를 ◎, 의자의 수를 △라고 할 때 두 양 사이의 대응 관계를 식으로 나타내어 보세요.

식 ◎×4=△ (또는 △÷4=◎)

✤ 탁자 1개에 의자가 4개씩이므로 ◎×4=△입니다.

② 탁자마다 의자를 하나씩 뺐습니다. 이때 탁자의 수를 ◎, 의자의 수를 ♡라고 하여 두 양 사이의 대응 관계를 식으로 나타내어 보세요.

식 ◎×3=♡ (또는 ♡÷3=◎)

✤ 탁자 1개에 의자가 3개씩이므로 ◎×3=♡입니다.

③ 탁자마다 의자를 하나씩 더 뺐습니다. 이때 탁자의 수를 ◎, 의자의 수를 □라고 하여 두 양 사이의 대응 관계를 식으로 나타내어 보세요.

식 ◎×2=□ (또는 □÷2=◎)

✤ 탁자 1개에 의자가 2개씩이므로 ◎×2=□입니다.

2 요술 항아리에 동전을 넣으면 다음 그림과 같이 동전이 튀어나옵니다. 물음에 답하세요.

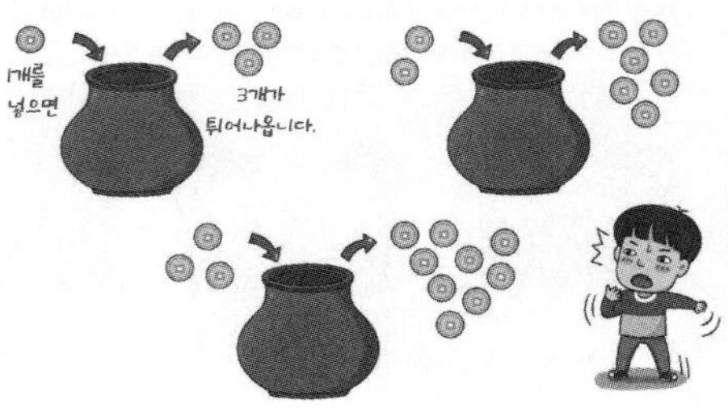

① 넣은 동전의 수와 튀어나온 동전의 수 사이의 대응 관계를 표를 이용하여 알아보세요.

넣은 동전의 수(개)	1	2	3	4	5	……
튀어나온 동전의 수(개)	3	6	9	12	15	……

✤ 1개를 넣으면 3개가, 2개를 넣으면 6개가, 3개를 넣으면 9개가 튀어나옵니다.
×3 ×3 ×3

② 넣은 동전의 수를 ♡, 튀어나온 동전의 수를 △라고 할 때 두 양 사이의 대응 관계를 식으로 나타내어 보세요.

식 ♡×3=△ (또는 △÷3=♡)

✤ 튀어나온 동전의 수는 넣은 동전의 수의 3배입니다. ➜ ♡×3=△

③ 요술 항아리에 동전 10개를 넣으면 몇 개의 동전이 튀어나올까요?

(30개)

✤ ♡=10일 때 △=10×3=30입니다.

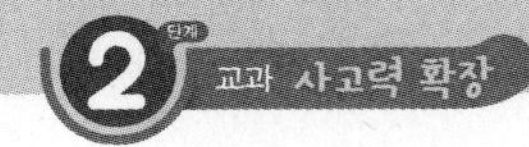

정답과 풀이 p.10

3 그림과 같이 점선을 따라 끈을 자르려고 합니다. 끈을 8번 자르면 몇 도막이 되는지 구해 보세요.

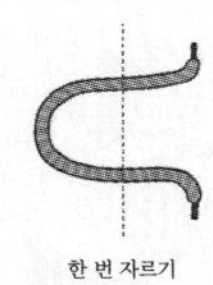
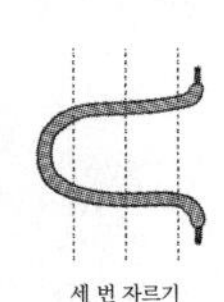

한 번 자르기 두 번 자르기 세 번 자르기

① 자른 횟수와 자른 도막의 수 사이에는 어떤 대응 관계가 있는지 표를 이용하여 알아보세요.

자른 횟수(번)	1	2	3	4	5	……
도막의 수(도막)	3	5	7	9	11	……

+2 +2 +2 +2

② 자른 횟수가 1번씩 늘어날 때마다 자른 도막의 수는 몇 도막씩 늘어날까요?

(2도막)

③ 끈을 8번 자르면 몇 도막이 될까요?

(17도막)

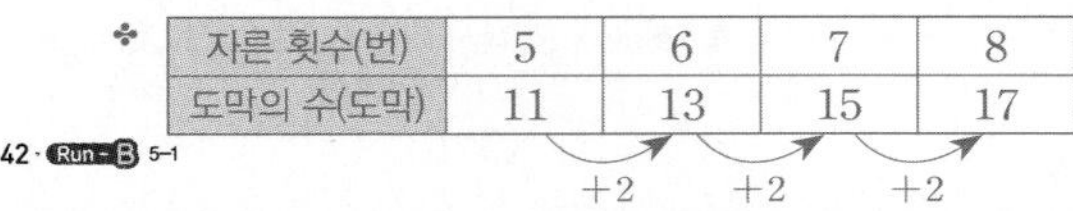

✤

자른 횟수(번)	5	6	7	8
도막의 수(도막)	11	13	15	17

+2 +2 +2

4 커다란 성냥개비를 이용하여 탑을 쌓고 있습니다. 성냥개비 64개로 탑을 몇 층까지 쌓을 수 있는지 구해 보세요.

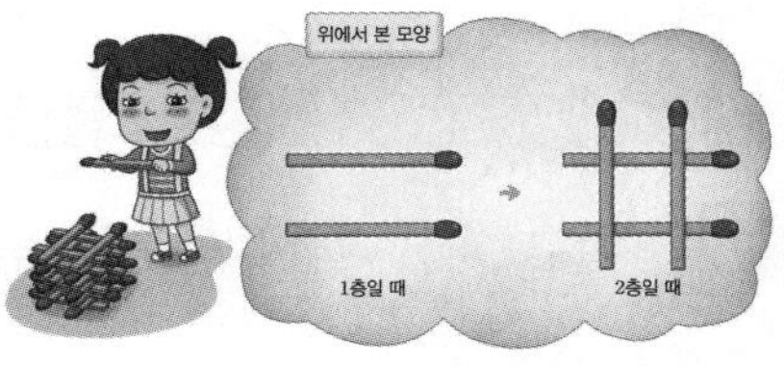

① 탑이 한 층씩 높아질 때마다 성냥개비의 수는 몇 개씩 늘어날까요?

(2개)

✤ 한 층에 성냥개비를 2개씩 놓았습니다.

② 탑의 층수를 △, 사용한 성냥개비의 수를 ◎라고 할 때 두 양 사이의 대응 관계를 식으로 나타내어 보세요.

식 △×2=◎ (또는 ◎÷2=△)

✤ 사용한 성냥개비의 수는 탑의 층수의 2배입니다.

③ 탑을 5층까지 쌓을 때 성냥개비는 몇 개 필요할까요?

(10개)

✤ △=5일 때 ◎=5×2=10입니다.

④ 성냥개비 64개로 탑을 몇 층까지 쌓을 수 있을까요?

(32층)

✤ ◎=64일 때 △×2=64, △=64÷2=32입니다.

정답과 풀이 p.11

평가 영역 □개념 이해력 ☑개념 응용력 □창의력 □문제 해결력

1 두 수 사이의 대응 관계를 보기 와 같이 기호를 사용하여 식으로 나타내어 보세요.

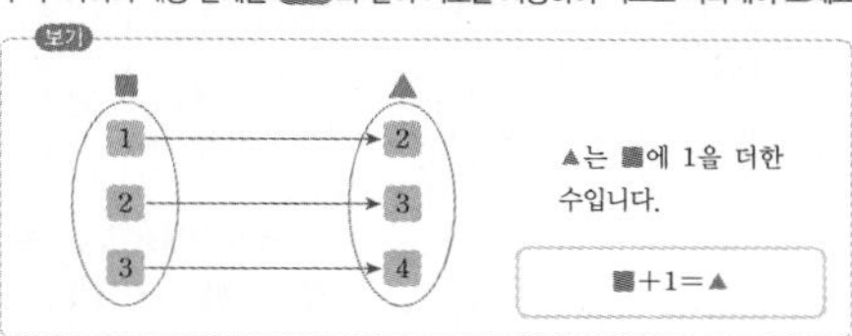

보기: ▲는 ■에 1을 더한 수입니다. ■+1=▲

❶ 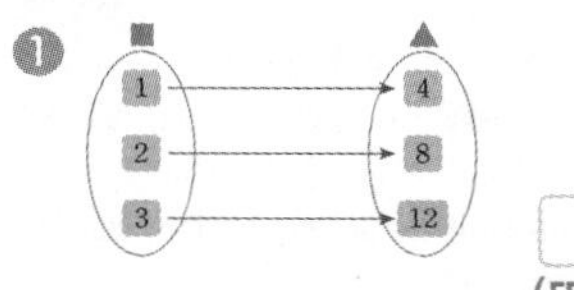

■×4=▲ (또는 ▲÷4=■)

✤ 1×4=4, 2×4=8, 3×4=12 ➔ ▲는 ■를 4배 한 수입니다.

❷ 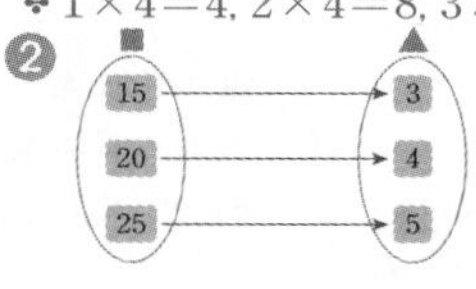

■÷5=▲ (또는 ▲×5=■)

✤ 15÷5=3, 20÷5=4, 25÷5=5 ➔ ▲는 ■를 5로 나눈 수입니다.

❸ 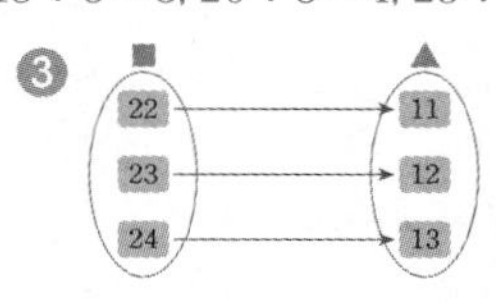

■−11=▲ (또는 ▲+11=■)

✤ 22−11=11, 23−11=12, 24−11=13 ➔ ▲는 ■에서 11을 뺀 수입니다.

평가 영역 □개념 이해력 □개념 응용력 □창의력 ☑문제 해결력

2 다음과 같은 방법으로 식탁 10개를 한 줄로 길게 이어 붙이면 의자를 몇 개 놓을 수 있는지 구해 보세요.

식탁이 1개일 때 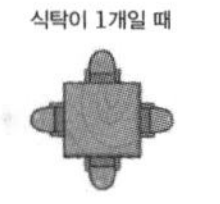 식탁이 2개일 때 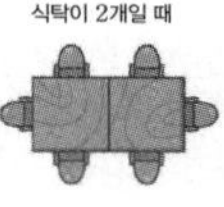 식탁이 3개일 때 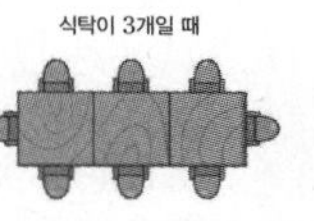

❶ 식탁의 수와 의자의 수 사이에는 어떤 대응 관계가 있는지 표를 이용하여 알아보세요.

식탁의 수(개)	1	2	3	4	5	......
의자의 수(개)	4	6	8	10	12	......

❷ 식탁이 1개씩 늘어날 때마다 놓을 수 있는 의자는 몇 개씩 늘어날까요?

(2개)

❸ 식탁 10개를 한 줄로 길게 붙이면 의자를 몇 개 놓을 수 있을까요?

(22개)

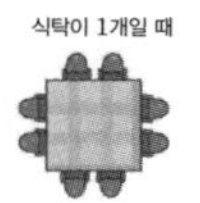

양 옆에 있는 의자는 그대로이므로 식탁이 1개 늘어날 때마다 의자는 몇 개씩 늘어나는지 알아보세요.

✤ 식탁의 수를 □, 의자의 수를 △라고 하면 □×2+2=△입니다.
➔ △=10×2+2=22

평가 영역 □개념 이해력 □개념 응용력 □창의력 ☑문제 해결력

3 다음과 같은 방법으로 식탁 8개를 한 줄로 길게 이어 붙이면 의자를 몇 개 놓을 수 있을까요?

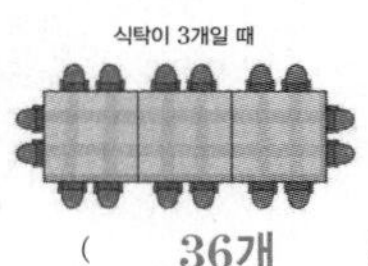

식탁이 1개일 때, 식탁이 2개일 때, 식탁이 3개일 때

(36개)

✤ 식탁이 1개이면 의자는 8개
식탁이 2개이면 의자는 12개) +4
식탁이 3개이면 의자는 16개) +4
식탁의 수를 □, 의자의 수를 △라고 하면 □×4+4=△입니다.
➔ △=8×4+4=36

정답과 풀이 p.11

Test 종합평가 3. 규칙과 대응

맞은 개수

1 표를 보고 □ 안에 알맞은 수를 써넣으세요.

오각형의 수(개)	1	2	3	4	5	6	......
변의 수(개)	5	10	15	20	25	30	......

➔ 변의 수는 오각형의 수의 5 배입니다.

✤ 오각형은 변이 5개인 도형이므로 변의 수는 오각형의 수의 5배입니다.

2 의자의 수를 ■, 팔걸이의 수를 ▲라고 할 때 의자의 수와 팔걸이의 수 사이의 대응 관계를 써 보고, 두 양 사이의 대응 관계를 기호를 사용하여 식으로 나타내어 보세요.

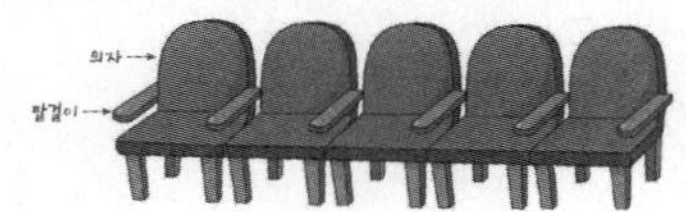

➔ 의자가 1개일 때 팔걸이는 2 개이고, 의자의 수가 1개씩 늘어날 때마다 팔걸이의 수도 1 개씩 늘어납니다.

식 ■+1=▲ (또는 ▲−1=■)

3 상자 한 개에 초콜릿이 6개씩 들어 있습니다. 상자의 수를 ■, 초콜릿의 수를 ▲라고 할 때 두 양 사이의 대응 관계를 식으로 나타내어 보세요.

식 ■×6=▲ (또는 ▲÷6=■)

4 ■와 ● 사이의 대응 관계를 나타낸 표입니다. 물음에 답하세요.

■	1	2	3	4	5	6	7
●	11	22	33	44	㉠	66	㉡

(1) ㉠, ㉡에 알맞은 수를 각각 구해 보세요.

㉠ (55)
㉡ (77)

(2) ■와 ● 사이의 대응 관계를 식으로 바르게 나타낸 것을 찾아 기호를 써 보세요.

㉠ ■×●=11 ㉡ ■÷11=● ㉢ ●÷11=■

(㉢)

✤ ●는 ■의 11배이므로 ■×11=● 또는 ●÷11=■입니다.

5 사각형 조각으로 규칙적인 배열을 만들고 있습니다. 물음에 답하세요.

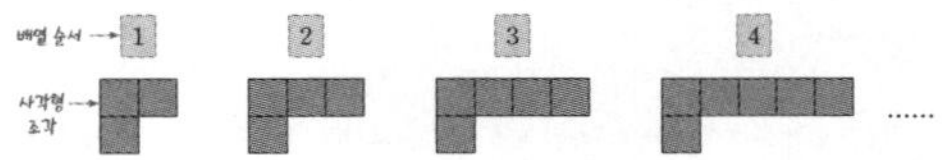

(1) 배열 순서에 따라 사각형 조각의 수가 어떻게 변하는지 표를 이용하여 알아보세요.

배열 순서	1	2	3	4	5	......
사각형 조각의 수(개)	3	4	5	6	7	......

(2) 13째에는 사각형 조각이 몇 개가 필요합니까?

(15개)

✤ (1) 가장 왼쪽에 놓은 사각형 조각 2개는 그대로 있고, 오른쪽에 놓은 사각형 조각의 수는 1개, 2개, 3개, 4개......로 1개씩 늘어납니다.
(2) 사각형 조각의 수는 배열 순서보다 2 크므로 13째에는 사각형 조각이 13+2=15(개) 필요합니다.

종합평가 3. 규칙과 대응

정답과 풀이 p.12

6 탁자 한 개에 의자가 8개씩 있습니다. 물음에 답하세요.

(1) 탁자의 수를 ◎, 의자의 수를 △라고 할 때 두 양 사이의 대응 관계를 식으로 나타내어 보세요.

식 ◎×8=△ (또는 △÷8=◎)

(2) 의자가 96개 있을 때 탁자는 몇 개 있을까요? (12개)

❖ (1) 탁자 한 개에 의자가 8개씩 있으므로 의자의 수(△)는 탁자의 수(◎)의 8배입니다. ➔ ◎×8=△ 또는 △÷8=◎
(2) 96÷8=12(개)

7 표를 보고 관계있는 것끼리 이어 보세요.

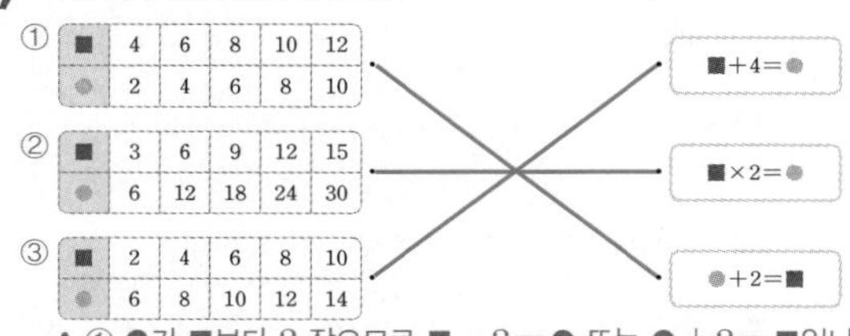

①

■	4	6	8	10	12
●	2	4	6	8	10

②

■	3	6	9	12	15
●	6	12	18	24	30

③

■	2	4	6	8	10
●	6	8	10	12	14

■+4=●

■×2=●

●+2=■

❖ ① ●가 ■보다 2 작으므로 ■−2=● 또는 ●+2=■입니다.
② ●가 ■의 2배이므로 ■×2=● 또는 ●÷2=■입니다.
③ ●가 ■보다 4 크므로 ■+4=● 또는 ●−4=■입니다.

8 그림과 같이 정사각형 모양으로 타일을 놓고 있습니다. 한 변에 놓인 타일의 수를 ◆, 전체 타일의 수를 ◎라고 할 때, 표를 완성하고 □ 안에 알맞은 기호를 써넣으세요.

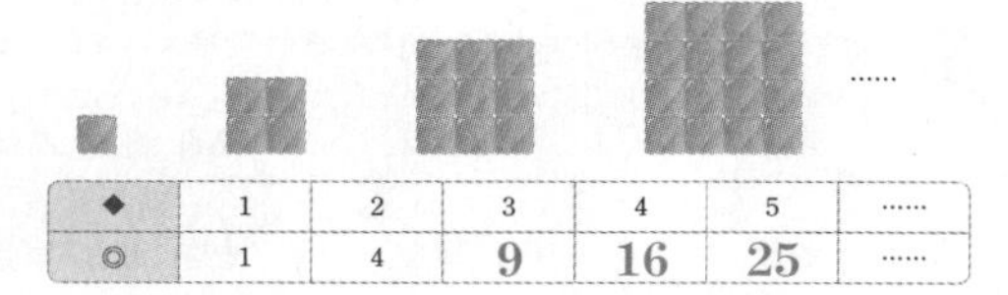

◆	1	2	3	4	5	……
◎	1	4	9	16	25	……

➔ ◆와 ◎ 사이의 대응 관계를 식으로 나타내면 ◆×◆=◎입니다.

❖ 한 변에 놓인 타일의 수를 두 번 곱하면 전체 타일의 수가 됩니다.

9 동혁이의 나이와 연도 사이의 대응 관계를 나타낸 표입니다. 물음에 답하세요.

동혁이의 나이(살)	11	12	13	14	……
연도(년)	2018	2019	2020	2021	……

(1) 동혁이의 나이를 ★, 연도를 ●라고 할 때 두 양 사이의 대응 관계를 식으로 나타내어 보세요.

식 ★+2007=● (또는 ●−2007=★)

(2) 동혁이가 20살이 되는 해는 몇 년일까요? (2027년)

❖ (동혁이의 나이)+2007=(연도)이므로 동혁이가 20살이 되는 해는 20+2007=2027(년)입니다.

10 효정이가 말하면 종두가 답한 수를 나타낸 표입니다. 효정이가 말한 수(■)와 종두가 답한 수(▲) 사이의 대응 관계를 기호를 사용하여 식으로 나타내어 보세요.

효정이가 말한 수	3	5	7	9	11
종두가 답한 수	9	11	13	15	17

식 ■+6=▲ (또는 ▲−6=■)

❖ 종두가 답한 수(▲)는 효정이가 말한 수(■)보다 6 크므로 대응 관계를 식으로 나타내면 ■+6=▲입니다.

11 어느 영화의 상영 시간표입니다. 영화의 시작 시각과 끝나는 시각 사이의 대응 관계를 찾아 □ 안에 알맞은 수를 써넣으세요.

영화 상영 시간표

시작 시각	오후 4시	오후 5시	오후 6시	오후 7시	오후 8시
끝나는 시각	오후 7시	오후 8시	오후 9시	오후 10시	오후 11시

➔ (시작 시각)+3=(끝나는 시각)

❖ 끝나는 시각은 시작 시각으로부터 3시간 후이므로 (시작 시각)+3=(끝나는 시각)입니다.

종합평가 3. 규칙과 대응

정답과 풀이 p.12

12 그림과 같이 점선을 따라 끈을 자르려고 합니다. 끈을 7번 자르면 몇 도막이 되는지 구해 보세요.

한 번 자르기

두 번 자르기

세 번 자르기

네 번 자르기

(1) 자른 횟수와 자른 도막의 수 사이의 대응 관계를 표를 이용하여 알아보세요.

자른 횟수(번)	1	2	3	4	5	……
도막의 수(도막)	4	7	10	13	16	……

(2) 자른 횟수가 1번씩 늘어날 때마다 자른 도막의 수는 몇 도막씩 늘어날까요? (3도막)

(3) 끈을 7번 자르면 몇 도막이 될까요? (22도막)

❖ (2) 자른 횟수가 1번씩 늘어날 때마다 자른 도막의 수는 3도막씩 늘어납니다.
(3)

자른 횟수(번)	5	6	7
도막의 수(도막)	16	19	22

+3 +3

13 다음과 같이 한 쪽에 의자를 1개씩 놓을 수 있는 탁자가 있습니다. 탁자 7개를 한 줄로 길게 이어 붙이면 의자를 몇 개 놓을 수 있는지 구해 보세요.

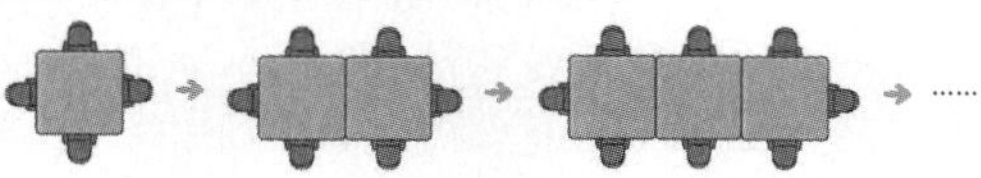

(16개)

❖

탁자의 수(개)	1	2	3	4	……
의자의 수(개)	4	6	8	10	……

(탁자의 수)×2+2=(의자의 수)이므로 탁자가 7개일 때 의자는 7×2+2=16(개)입니다.

특강 창의·융합 사고력

1 대한민국의 수도인 서울의 시각이 오전 8시일 때 우즈베키스탄의 수도인 타슈켄트의 시각은 오전 4시이고, 이집트의 수도인 카이로의 시각은 오전 1시입니다. 물음에 답하세요.

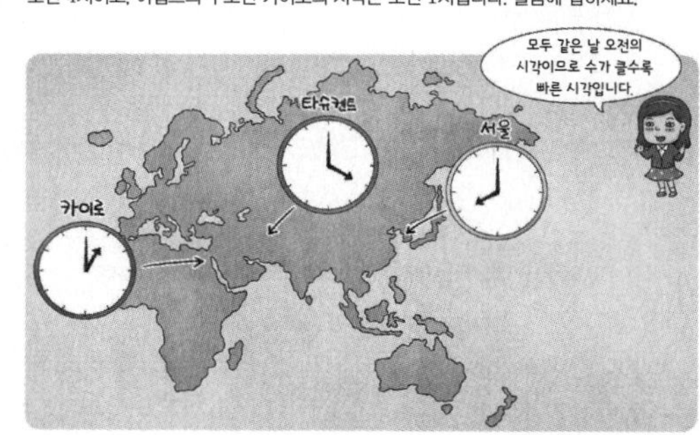
모두 같은 날 오전의
시각이므로 수가 클수록
빠른 시각입니다.
타슈켄트
서울
카이로

(1) 서울의 시각이 타슈켄트의 시각보다 몇 시간 빠른지 알아보고 서울의 시각을 □, 타슈켄트의 시각을 △라고 할 때 □와 △ 사이의 대응 관계를 식으로 나타내어 보세요.

서울의 시각은 타슈켄트의 시각보다 4시간 빠릅니다.

식 □−4=△ (또는 △+4=□)

❖ 서울의 시각이 오전 8시일 때 타슈켄트의 시각은 오전 4시이므로 서울의 시각이 타슈켄트의 시각보다 8−4=4(시간) 빠릅니다.

(2) 서울의 시각이 카이로의 시각보다 몇 시간 빠른지 알아보고 서울의 시각을 □, 카이로의 시각을 ◎라고 할 때 □와 ◎ 사이의 대응 관계를 식으로 나타내어 보세요.

서울의 시각은 카이로의 시각보다 7시간 빠릅니다.

식 □−7=◎ (또는 ◎+7=□)

❖ 서울의 시각이 오전 8시일 때 카이로의 시각은 오전 1시이므로 서울의 시각이 카이로의 시각보다 8−1=7(시간) 빠릅니다.

생긴 건 달라도 크기가 같은 분수

혜미, 지우, 민규는 다음과 같이 피자를 먹었습니다. 피자를 먹은 조각의 수는 다르지만 남은 피자의 양은 같네요.

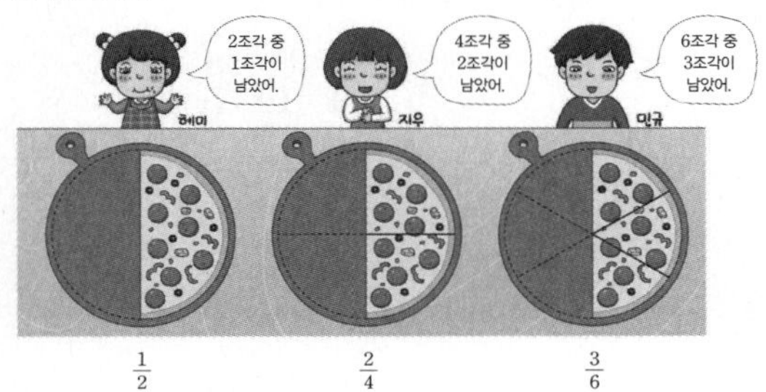

2조각 중 1조각이 남았어.
4조각 중 2조각이 남았어.
6조각 중 3조각이 남았어.
혜미
지우
민규

$\frac{1}{2}$ $\frac{2}{4}$ $\frac{3}{6}$

남은 피자를 나타내는 분수의 모양은 달라도 크기가 같음을 알 수 있습니다.

$$\frac{1}{2}=\frac{2}{4}=\frac{3}{6}$$

혜미가 남긴 피자와 양이 같도록 색칠하고 분수로 나타내어 보세요.

예

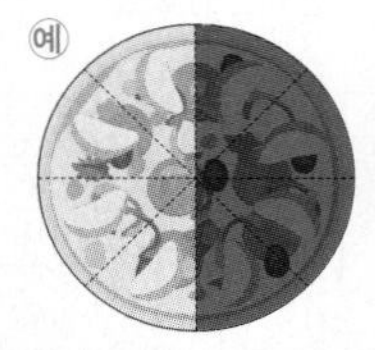

$\frac{4}{8}$

모양은 다르지만 크기가 같은 분수들이 많구나!

분수가 나타내는 크기가 같은 것끼리 선으로 이어 보세요.

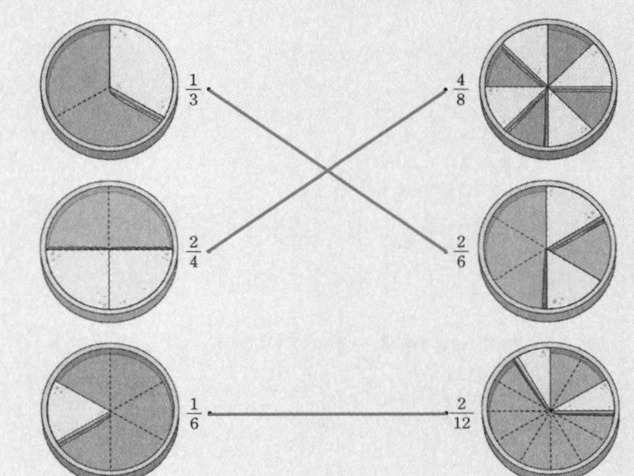

주어진 분수에 맞게 색칠해 보세요.

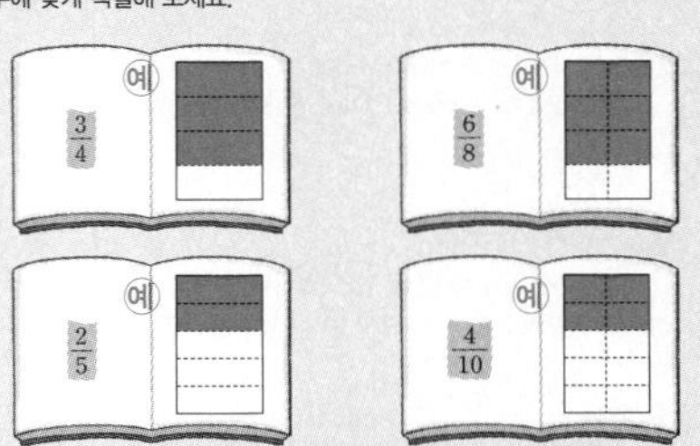

1단계 교과서 개념 잡기

개념 1 크기가 같은 분수 알아보기

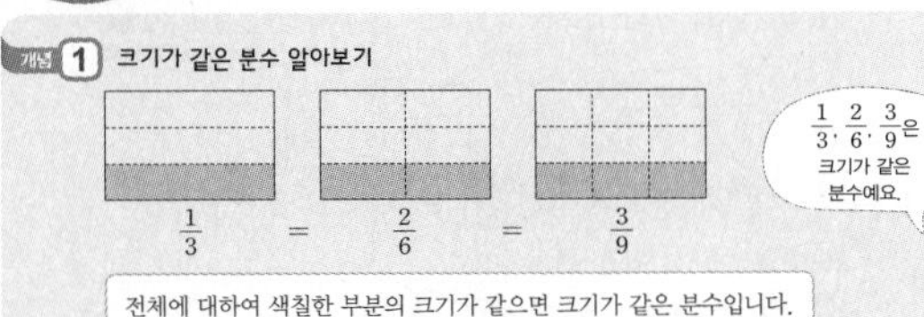

$\frac{1}{3}$ = $\frac{2}{6}$ = $\frac{3}{9}$

$\frac{1}{3}$, $\frac{2}{6}$, $\frac{3}{9}$은 크기가 같은 분수예요.

전체에 대하여 색칠한 부분의 크기가 같으면 크기가 같은 분수입니다.

개념 2 크기가 같은 분수 만들기

방법 1 곱셈을 이용하여 크기가 같은 분수 만들기

분모와 분자에 각각 0이 아닌 같은 수를 곱하면 크기가 같은 분수가 됩니다.

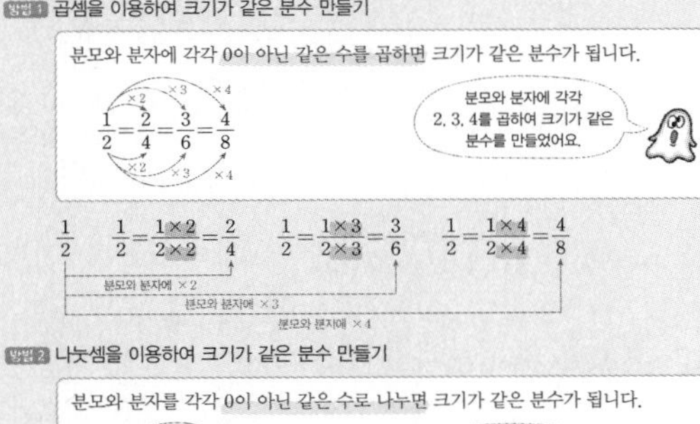

$\frac{1}{2}$ $\frac{1}{2}=\frac{1\times2}{2\times2}=\frac{2}{4}$ $\frac{1}{2}=\frac{1\times3}{2\times3}=\frac{3}{6}$ $\frac{1}{2}=\frac{1\times4}{2\times4}=\frac{4}{8}$

분모와 분자에 ×2
분모와 분자에 ×3
분모와 분자에 ×4

방법 2 나눗셈을 이용하여 크기가 같은 분수 만들기

분모와 분자를 각각 0이 아닌 같은 수로 나누면 크기가 같은 분수가 됩니다.

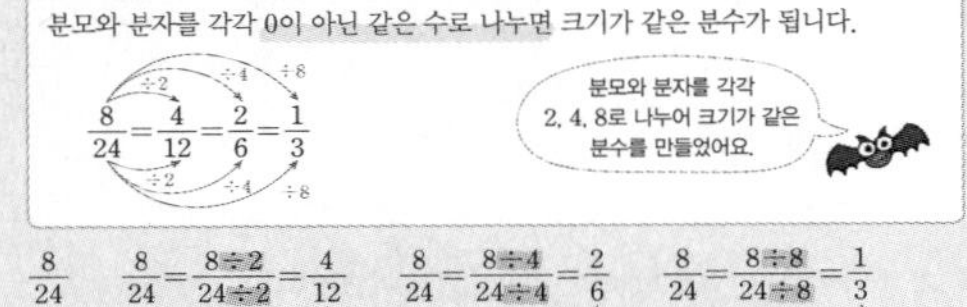

$\frac{8}{24}$ $\frac{8}{24}=\frac{8\div2}{24\div2}=\frac{4}{12}$ $\frac{8}{24}=\frac{8\div4}{24\div4}=\frac{2}{6}$ $\frac{8}{24}=\frac{8\div8}{24\div8}=\frac{1}{3}$

분모와 분자를 ÷2
분모와 분자를 ÷4
분모와 분자를 ÷8

개념 확인 문제

정답과 풀이 p.13

1-1 그림을 보고 크기가 같은 분수를 찾아 □ 안에 알맞은 수를 써넣으세요.

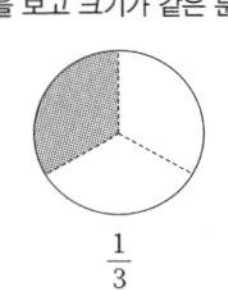

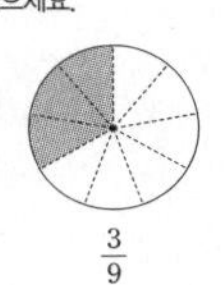

$\frac{1}{3}$ $\frac{3}{6}$ $\frac{3}{9}$

→ 크기가 같은 분수는 $\frac{1}{3}$과 $\frac{3}{9}$입니다.

✤ 전체를 나눈 부분의 수는 다르지만 색칠한 부분의 크기가 같은 것을 찾으면 $\frac{1}{3}$과 $\frac{3}{9}$입니다.

2-1 그림을 보고 크기가 같은 분수가 되도록 □ 안에 알맞은 수를 써넣으세요.

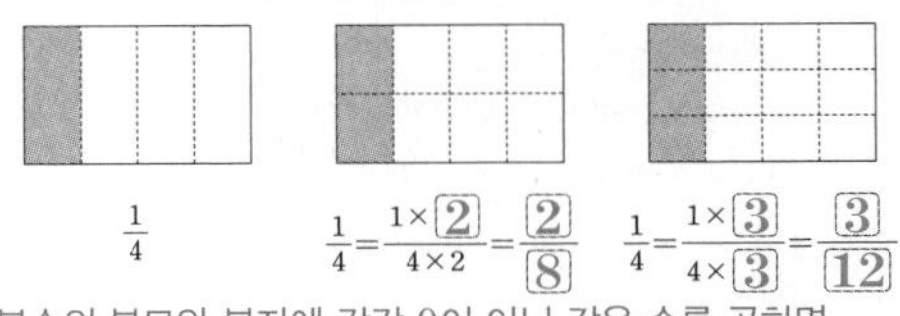

$\frac{1}{4}$ $\frac{1}{4}=\frac{1\times2}{4\times2}=\frac{2}{8}$ $\frac{1}{4}=\frac{1\times3}{4\times3}=\frac{3}{12}$

✤ 분수의 분모와 분자에 각각 0이 아닌 같은 수를 곱하면 크기가 같은 분수가 됩니다.

2-2 $\frac{18}{24}$과 크기가 같은 분수를 만들려고 합니다. $\frac{18}{24}$과 크기가 같게 수직선에 표시하고, □ 안에 알맞은 수를 써넣어 크기가 같은 분수를 만들어 보세요.

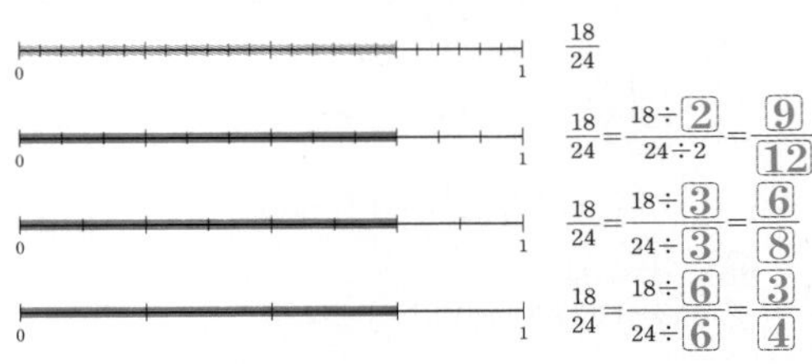

$\frac{18}{24}$

$\frac{18}{24}=\frac{18\div2}{24\div2}=\frac{9}{12}$

$\frac{18}{24}=\frac{18\div3}{24\div3}=\frac{6}{8}$

$\frac{18}{24}=\frac{18\div6}{24\div6}=\frac{3}{4}$

✤ 주어진 분수의 분모와 분자를 각각 0이 아닌 같은 수로 나누어 크기가 같은 분수를 만듭니다.

3주 교과서

1단계 교과서 개념 잡기

개념 3 분수를 간단히 나타내기

- 약분 알아보기

약분: 분모와 분자를 공약수로 나누어 간단한 분수로 만드는 것

예 $\frac{12}{18}$를 약분하기

① 12와 18의 공약수 구하기
→ 1, 2, 3, 6

② 분모와 분자를 공약수로 나누기

$\frac{12}{18}=\frac{12\div2}{18\div2}=\frac{6}{9}$ | $\frac{12}{18}=\frac{12\div3}{18\div3}=\frac{4}{6}$ | $\frac{12}{18}=\frac{12\div6}{18\div6}=\frac{2}{3}$

$\frac{12}{18}=\frac{6}{9}$ | $\frac{12}{18}=\frac{4}{6}$ | $\frac{12}{18}=\frac{2}{3}$

참고 분모와 분자를 1로 나누면 자기 자신이 되므로 1로 나누는 경우는 생각하지 않습니다.

0이 아닌 같은 수로 분모와 분자를 나누면 크기가 같은 분수가 된다고 했어.

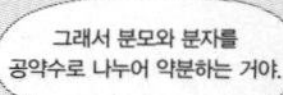

그래서 분모와 분자를
공약수로 나누어 약분하는 거야.

- 기약분수 알아보기

기약분수: 분모와 분자의 공약수가 1뿐인 분수

예 $\frac{20}{28}$을 기약분수로 나타내기

방법 1 공약수가 1이 될 때까지 나누기
분모와 분자의 공약수가 1이 될 때까지 나눕니다.
→ $\frac{20}{28}=\frac{10}{14}=\frac{5}{7}$

방법 2 최대공약수로 나누기
① 20과 28의 최대공약수를 구합니다. → 4
② 분모와 분자를 최대공약수로 나눕니다.
→ $\frac{20}{28}=\frac{20\div4}{28\div4}=\frac{5}{7}$

더 이상 나누어지지 않으면 기약분수예요.

개념 확인 문제

정답과 풀이 p.14

3-1 $\frac{32}{40}$를 약분하려고 합니다. 물음에 답하세요.

(1) 32와 40의 공약수를 모두 구해 보세요.
(1, 2, 4, 8)

(2) $\frac{32}{40}$를 약분하여 모두 써 보세요.

$\frac{32}{40}$ → $\frac{16}{20}$, $\frac{8}{10}$, $\frac{4}{5}$

✣ $\frac{32}{40}=\frac{32\div2}{40\div2}=\frac{16}{20}$, $\frac{32}{40}=\frac{32\div4}{40\div4}=\frac{8}{10}$, $\frac{32}{40}=\frac{32\div8}{40\div8}=\frac{4}{5}$

3-2 분모와 분자를 각각 최대공약수로 나누어 기약분수로 나타내어 보세요.

(1) $\frac{20}{32}=\frac{5}{8}$ (2) $\frac{25}{50}=\frac{1}{2}$

(3) $\frac{35}{56}=\frac{5}{8}$ (4) $\frac{10}{24}=\frac{5}{12}$

✣ 분모와 분자를 분모와 분자의 최대공약수로 각각 나눕니다.
(1) $\frac{20}{32}=\frac{20\div4}{32\div4}=\frac{5}{8}$ (2) $\frac{25}{50}=\frac{25\div25}{50\div25}=\frac{1}{2}$
(3) $\frac{35}{56}=\frac{35\div7}{56\div7}=\frac{5}{8}$ (4) $\frac{10}{24}=\frac{10\div2}{24\div2}=\frac{5}{12}$

3-3 보기와 같이 기약분수로 나타내어 보세요.

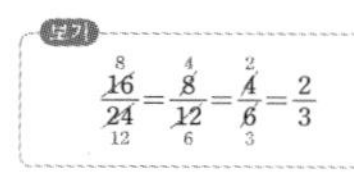
보기: $\frac{16}{24}=\frac{8}{12}=\frac{4}{6}=\frac{2}{3}$

(1) $\frac{45}{60}$ 예 $=\frac{15}{20}=\frac{3}{4}$

(2) $\frac{36}{90}$ 예 $=\frac{18}{45}=\frac{6}{15}=\frac{2}{5}$

✣ 분모와 분자를 더 이상 약분되지 않을 때까지 약분합니다.

1단계 교과서 개념 잡기

개념 4 분모가 같은 분수로 나타내기

- 통분: 분수의 분모를 같게 하는 것
- 공통분모: 통분한 분모

예 $\frac{5}{6}$와 $\frac{2}{9}$의 분모를 같게 만들기

$\frac{5}{6}=\frac{10}{12}=\frac{15}{18}=\frac{20}{24}=\frac{25}{30}=\frac{30}{36}=\frac{35}{42}=\frac{40}{48}=\frac{45}{54}$......

$\frac{2}{9}=\frac{4}{18}=\frac{6}{27}=\frac{8}{36}=\frac{10}{45}=\frac{12}{54}=\frac{14}{63}$......

$(\frac{5}{6}, \frac{2}{9})$ → $(\frac{15}{18}, \frac{4}{18})$, $(\frac{30}{36}, \frac{8}{36})$, $(\frac{45}{54}, \frac{12}{54})$......

크기가 같은 분수를 만들어 분모가 같은 분수를 찾아요.

참고 공통분모는 18, 36, 54……로 6과 9의 공배수인 18의 배수입니다.

- 공통분모가 될 수 있는 수 구하기

$\frac{5}{6}$와 $\frac{2}{9}$를 통분할 때 6과 9의 공배수는 18의 배수이므로 공통분모가 될 수 있는 수는 18의 배수인 18, 36, 54……입니다.

예 $\frac{3}{4}$과 $\frac{1}{6}$ 통분하기

방법 1 두 분모의 곱을 공통분모로 하여 통분하기
$(\frac{3}{4}, \frac{1}{6})$ → $(\frac{3\times6}{4\times6}, \frac{1\times4}{6\times4})$ → $(\frac{18}{24}, \frac{4}{24})$

방법 2 두 분모의 최소공배수를 공통분모로 하여 통분하기
① 4와 6의 최소공배수 구하기
2) 4 6
 2 3 → 최소공배수: 2×2×3=12
② 통분하기
$(\frac{3}{4}, \frac{1}{6})$ → $(\frac{3\times3}{4\times3}, \frac{1\times2}{6\times2})$ → $(\frac{9}{12}, \frac{2}{12})$

두 분모의 공약수가 1뿐인 두 분수를 통분할 때는 두 분모의 곱을 공통분모로 하면 편리해요.

참고 분모가 작을 때는 두 분모의 곱을 공통분모로 하고, 분모가 클 때는 두 분모의 최소공배수를 공통분모로 하여 통분하는 것이 편리합니다.

개념 확인 문제

정답과 풀이 p.14

4-1 $\frac{1}{2}$과 $\frac{2}{3}$를 분모가 같은 분수로 나타내려고 합니다. □ 안에 알맞은 수를 써넣으세요.

$\frac{1}{2}=\frac{2}{4}=\frac{3}{6}=\frac{4}{8}=\frac{5}{10}=\frac{6}{12}=\frac{7}{14}=\frac{8}{16}=\frac{9}{18}$......

$\frac{2}{3}=\frac{4}{6}=\frac{6}{9}=\frac{8}{12}=\frac{10}{15}=\frac{12}{18}=\frac{14}{21}$......

→ 두 분수를 분모가 같은 분수끼리 짝 지으면
$(\frac{3}{6}, \frac{4}{6})$, $(\frac{6}{12}, \frac{8}{12})$, $(\frac{9}{18}, \frac{12}{18})$입니다.

4-2 두 분모의 곱을 공통분모로 하여 통분해 보세요.

(1) $(\frac{1}{3}, \frac{3}{4})$ → $(\frac{4}{12}, \frac{9}{12})$

(2) $(\frac{4}{7}, \frac{2}{5})$ → $(\frac{20}{35}, \frac{14}{35})$

✣ (1) $(\frac{1}{3}, \frac{3}{4})$ → $(\frac{1\times4}{3\times4}, \frac{3\times3}{4\times3})$ → $(\frac{4}{12}, \frac{9}{12})$
(2) $(\frac{4}{7}, \frac{2}{5})$ → $(\frac{4\times5}{7\times5}, \frac{2\times7}{5\times7})$ → $(\frac{20}{35}, \frac{14}{35})$

4-3 두 분모의 최소공배수를 공통분모로 하여 통분해 보세요.

(1) $(\frac{2}{9}, \frac{5}{12})$ → $(\frac{8}{36}, \frac{15}{36})$ (2) $(\frac{5}{6}, \frac{3}{8})$ → $(\frac{20}{24}, \frac{9}{24})$

✣ (1) 9와 12의 최소공배수: 36
$(\frac{2}{9}, \frac{5}{12})$ → $(\frac{2\times4}{9\times4}, \frac{5\times3}{12\times3})$ → $(\frac{8}{36}, \frac{15}{36})$
(2) 6과 8의 최소공배수: 24
$(\frac{5}{6}, \frac{3}{8})$ → $(\frac{5\times4}{6\times4}, \frac{3\times3}{8\times3})$ → $(\frac{20}{24}, \frac{9}{24})$

4-4 두 분수를 통분하려고 합니다. 공통분모가 될 수 있는 수에 모두 ○표 하세요.

$\frac{13}{24}$ $\frac{25}{36}$

64 (72) 108 (144)

✣ 24와 36의 최소공배수는 72이므로 72의 배수를 찾습니다.

3주 교과서

개념 5 분수의 크기 비교하기

- 두 분수의 크기 비교

분모가 다른 두 분수는 통분하여 분자의 크기를 비교합니다.

예 $\left(\frac{3}{4}, \frac{5}{7}\right) \rightarrow \left(\frac{3\times7}{4\times7}, \frac{5\times4}{7\times4}\right) \rightarrow \left(\frac{21}{28}, \frac{20}{28}\right) \rightarrow \frac{21}{28} > \frac{20}{28} \rightarrow \frac{3}{4} > \frac{5}{7}$

참고 공통분모가 두 분모의 곱이라면 ✕ 모양으로 곱하여 비교할 수 있습니다.

$\frac{3}{4} \times \frac{5}{7} \rightarrow 21 \bigcirc\!\!\!> 20 \rightarrow \frac{3}{4} \bigcirc\!\!\!> \frac{5}{7}$

- 세 분수의 크기 비교

분모가 다른 세 분수는 두 분수끼리 통분하여 차례로 크기를 비교합니다.

예 $\frac{1}{3}, \frac{3}{4}, \frac{1}{5}$의 크기 비교하기

$\left(\frac{1}{3}, \frac{3}{4}\right) \rightarrow \left(\frac{4}{12}, \frac{9}{12}\right) \rightarrow \frac{1}{3} < \frac{3}{4}$

$\left(\frac{3}{4}, \frac{1}{5}\right) \rightarrow \left(\frac{15}{20}, \frac{4}{20}\right) \rightarrow \frac{3}{4} > \frac{1}{5}$

$\left(\frac{1}{3}, \frac{1}{5}\right) \rightarrow \left(\frac{5}{15}, \frac{3}{15}\right) \rightarrow \frac{1}{3} > \frac{1}{5}$

$\rightarrow \frac{3}{4} > \frac{1}{3} > \frac{1}{5}$

개념 6 분수와 소수의 크기 비교하기

- 분수와 소수의 관계

분모가 10인 분수는 소수 한 자리 수로, 소수 한 자리 수는 분모가 10인 분수로 나타낼 수 있습니다.

0	$\frac{1}{10}$	$\frac{2}{10}$	$\frac{3}{10}$	$\frac{4}{10}$	$\frac{5}{10}$	$\frac{6}{10}$	$\frac{7}{10}$	$\frac{8}{10}$	$\frac{9}{10}$	1
0	0.1	0.2	0.3	0.4	0.5	0.6	0.7	0.8	0.9	1

- 분수와 소수의 크기 비교

예 $\frac{3}{4}$과 0.7의 크기 비교하기

$\left(\frac{3}{4}, 0.7\right) \rightarrow \left(\frac{3}{4}, \frac{7}{10}\right) \rightarrow \left(\frac{15}{20}, \frac{14}{20}\right) \rightarrow \frac{15}{20} > \frac{14}{20} \rightarrow \frac{3}{4} > 0.7$

소수를 분수로

예 $\frac{3}{5}$과 0.8의 크기 비교하기

$\left(\frac{3}{5}, 0.8\right) \rightarrow \left(\frac{6}{10}, 0.8\right) \rightarrow (0.6, 0.8) \rightarrow 0.6 < 0.8 \rightarrow \frac{3}{5} < 0.8$

분수를 소수로

정답과 풀이 p.15

개념 확인 문제

5-1 □ 안에 알맞은 수를 써넣고 ○ 안에 >, =, <를 알맞게 써넣으세요.

(1) $\left(\frac{7}{12}, \frac{5}{8}\right) \rightarrow \left(\frac{14}{24}, \frac{15}{24}\right) \rightarrow \frac{7}{12} \bigcirc\!\!\!< \frac{5}{8}$

(2) $\left(\frac{5}{6}, \frac{11}{15}\right) \rightarrow \left(\frac{25}{30}, \frac{22}{30}\right) \rightarrow \frac{5}{6} \bigcirc\!\!\!> \frac{11}{15}$

✤ 분수를 통분하여 분모를 같게 한 다음 분자의 크기를 비교합니다.

5-2 세 분수 $\frac{3}{5}, \frac{1}{3}, \frac{7}{10}$의 크기를 비교하려고 합니다. □ 안에 알맞은 수를 써넣고 ○ 안에 >, =, <를 알맞게 써넣으세요.

$\left(\frac{3}{5}, \frac{1}{3}\right) \rightarrow \left(\frac{9}{15}, \frac{5}{15}\right) \rightarrow \frac{3}{5} \bigcirc\!\!\!> \frac{1}{3}$

$\left(\frac{1}{3}, \frac{7}{10}\right) \rightarrow \left(\frac{10}{30}, \frac{21}{30}\right) \rightarrow \frac{1}{3} \bigcirc\!\!\!< \frac{7}{10}$

$\left(\frac{3}{5}, \frac{7}{10}\right) \rightarrow \left(\frac{6}{10}, \frac{7}{10}\right) \rightarrow \frac{3}{5} \bigcirc\!\!\!< \frac{7}{10}$

$\rightarrow \frac{7}{10} > \frac{3}{5} > \frac{1}{3}$

✤ $\frac{3}{5} > \frac{1}{3}, \frac{1}{3} < \frac{7}{10}, \frac{3}{5} < \frac{7}{10}$에서 $\frac{7}{10}$이 가장 크고 $\frac{1}{3}$이 가장 작습니다.

6-1 분수를 분모가 10인 분수로 고치고, 소수로 나타내어 보세요.

(1) $\frac{1}{2} = \frac{1\times5}{2\times5} = \frac{5}{10} = 0.5$ (2) $\frac{2}{5} = \frac{2\times2}{5\times2} = \frac{4}{10} = 0.4$

6-2 □ 안에 알맞은 수를 써넣고, 두 수의 크기를 비교해 보세요.

(1) $\left(\frac{1}{4}, 0.2\right) \rightarrow \left(\frac{25}{100}, 0.2\right) \rightarrow (0.25, 0.2) \rightarrow \frac{1}{4} \bigcirc\!\!\!> 0.2$

(2) $\left(0.7, \frac{1}{2}\right) \rightarrow \left(\frac{7}{10}, \frac{1}{2}\right) \rightarrow \left(\frac{7}{10}, \frac{5}{10}\right) \rightarrow 0.7 \bigcirc\!\!\!> \frac{1}{2}$

✤ (1) $\frac{1}{4} = 0.25 \bigcirc\!\!\!> 0.2$

(2) $0.7 = \frac{7}{10} \bigcirc\!\!\!> \frac{1}{2} = \frac{5}{10}$

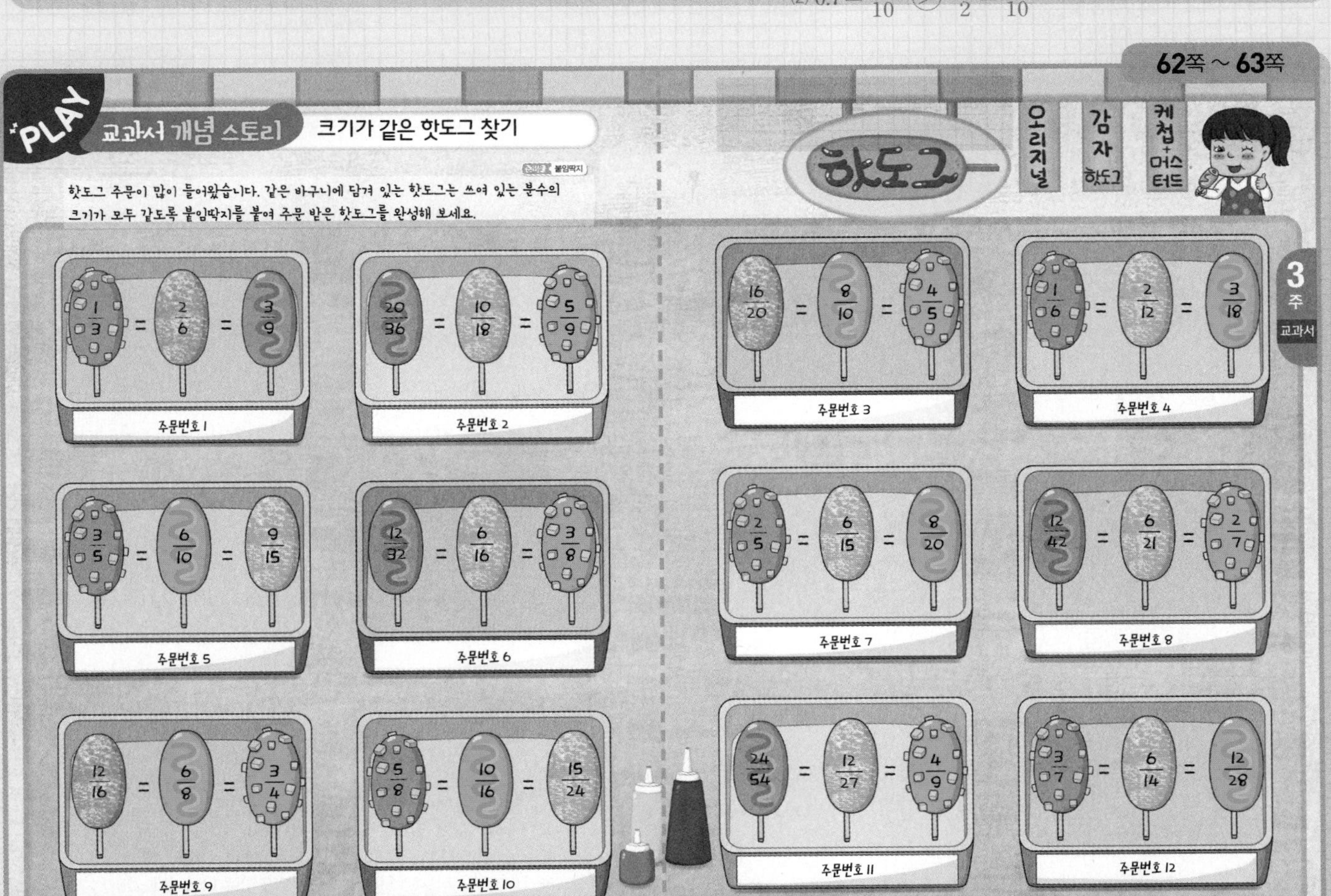

64쪽 ~ 65쪽

66쪽 ~ 67쪽

2단계 교과서 개념 다지기

정답과 풀이 p.16

개념 1 크기가 같은 분수

01 분수만큼 색칠하고 □ 안에 알맞은 수를 써넣으세요.

예

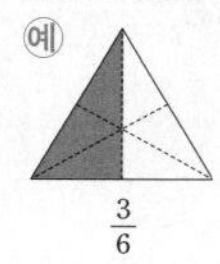
$\frac{3}{6}$

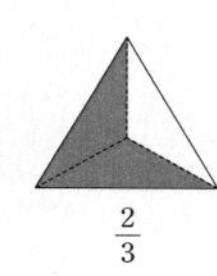
$\frac{4}{6}$

$\frac{2}{3}$

➜ 크기가 같은 분수는 $\boxed{\frac{4}{6}}$ 와(과) $\boxed{\frac{2}{3}}$ 입니다.

✣ 전체에 대하여 색칠한 부분의 크기가 같으면 크기가 같은 분수입니다.

02 □ 안에 알맞은 수를 써넣어 크기가 같은 분수를 만들어 보세요.

(1) $\frac{2}{7}=\frac{4}{\boxed{14}}=\frac{\boxed{6}}{21}=\frac{\boxed{8}}{28}$

(2) $\frac{30}{45}=\frac{\boxed{10}}{15}=\frac{6}{\boxed{9}}=\frac{\boxed{2}}{3}$

✣ (1) 분모와 분자에 각각 0이 아닌 같은 수를 곱하면 크기가 같은 분수가 됩니다.
(2) 분모와 분자를 각각 0이 아닌 같은 수로 나누면 크기가 같은 분수가 됩니다.

03 크기가 같은 분수끼리 짝 지어진 것을 찾아 기호를 써 보세요.

㉠ $\left(\frac{2}{7}, \frac{8}{21}\right)$ ㉡ $\left(\frac{2}{3}, \frac{8}{12}\right)$ ㉢ $\left(\frac{5}{18}, \frac{15}{36}\right)$

(㉡)

✣ ㉠ $\frac{2}{7}=\frac{2\times3}{7\times3}=\frac{6}{21}$ ㉡ $\frac{2}{3}=\frac{2\times4}{3\times4}=\frac{8}{12}$
㉢ $\frac{5}{18}=\frac{5\times2}{18\times2}=\frac{10}{36}$

개념 2 분수 약분하기

04 $\frac{27}{72}$을 약분하려고 합니다. 1을 제외하고 분모와 분자를 나눌 수 있는 수를 모두 구해 보세요.

(3, 9)

✣ $\frac{27}{72}$을 약분할 때 분모와 분자를 나눌 수 있는 수는 27과 72의 공약수 중에서 1을 제외한 3, 9입니다.

05 분수를 약분해 보세요.

(1) $\frac{14}{30}=\frac{\boxed{7}}{15}$ (2) $\frac{16}{48}=\frac{2}{\boxed{6}}$

✣ (1) $30\div2=15$이므로 분자를 2로 나눕니다.
(2) $16\div8=2$이므로 분모를 8로 나눕니다.

06 $\frac{25}{30}$의 분모와 분자를 어떤 수로 나누어 약분했더니 $\frac{5}{6}$가 되었습니다. 어떤 수로 나누었는지 구해 보세요.

(5)

✣ $\frac{25}{30}=\frac{25\div5}{30\div5}=\frac{5}{6}$

07 $\frac{12}{16}$를 약분하여 나타낼 수 있는 분수 중에서 분모가 8인 분수를 써 보세요.

($\frac{6}{8}$)

✣ 16을 2로 나누면 8이 되므로 분자도 2로 나눕니다.
➜ $\frac{12}{16}=\frac{12\div2}{16\div2}=\frac{6}{8}$

3 주 교과서

정답과 풀이 p.17

개념 3 기약분수로 나타내기

08 기약분수를 찾아 기호를 써 보세요.

㉠ $\frac{3}{9}$ ㉡ $\frac{8}{14}$ ㉢ $\frac{7}{10}$ ㉣ $\frac{6}{6}$

(㉢)

❖ ㉠ $\frac{3}{9}=\frac{1}{3}$ ㉡ $\frac{8}{14}=\frac{4}{7}$ ㉣ $\frac{6}{6}=1$

09 기약분수로 나타내어 보세요.

(1) $\frac{15}{25}$ ($\frac{3}{5}$) (2) $\frac{32}{56}$ ($\frac{4}{7}$)

❖ (1) $\frac{15}{25}=\frac{15\div5}{25\div5}=\frac{3}{5}$ (2) $\frac{32}{56}=\frac{32\div8}{56\div8}=\frac{4}{7}$

❖ 분모가 10인 진분수는 $\frac{1}{10}, \frac{2}{10}, \frac{3}{10}, \frac{4}{10}, \frac{5}{10}, \frac{6}{10}, \frac{7}{10}, \frac{8}{10}, \frac{9}{10}$입니다.

10 분모가 10인 진분수 중에서 기약분수를 모두 찾아 써 보세요.

($\frac{1}{10}, \frac{3}{10}, \frac{7}{10}, \frac{9}{10}$)

$\frac{2}{10}=\frac{1}{5}, \frac{4}{10}=\frac{2}{5}, \frac{5}{10}=\frac{1}{2}, \frac{6}{10}=\frac{3}{5}, \frac{8}{10}=\frac{4}{5}$이므로 기약분수는 $\frac{1}{10}, \frac{3}{10}, \frac{7}{10}, \frac{9}{10}$입니다.

11 $\frac{●}{■}$는 기약분수입니다. 이 분수의 분모인 ■와 분자인 ●의 공약수를 구해 보세요.

(1)

❖ 기약분수는 분모와 분자의 공약수가 1뿐인 분수입니다.

개념 4 분수 통분하기

12 두 분수를 통분하려고 합니다. 공통분모가 될 수 있는 수를 작은 수부터 차례로 3개 써 보세요.

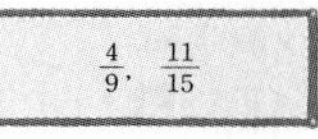

$\frac{4}{9}, \frac{11}{15}$

(45, 90, 135)

❖ 공통분모가 될 수 있는 수는 분모 9와 15의 공배수이므로 45의 배수입니다. 작은 수부터 차례로 3개를 써 보면 45, 90, 135입니다.

13 두 분수를 통분한 것을 찾아 선으로 이어 보세요.

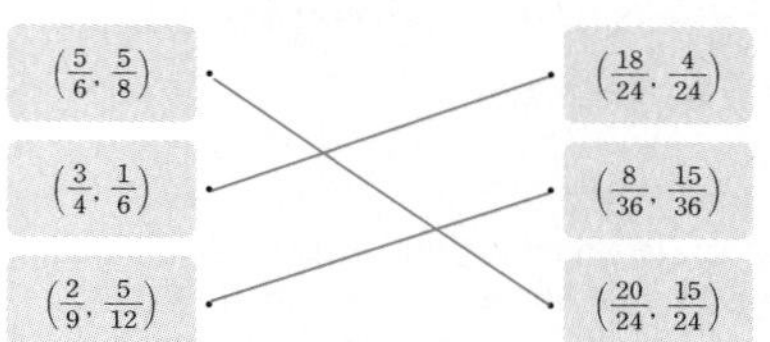

$(\frac{5}{6}, \frac{5}{8})$ — $(\frac{20}{24}, \frac{15}{24})$

$(\frac{3}{4}, \frac{1}{6})$ — $(\frac{18}{24}, \frac{4}{24})$

$(\frac{2}{9}, \frac{5}{12})$ — $(\frac{8}{36}, \frac{15}{36})$

14 두 분모의 최소공배수를 공통분모로 하여 통분해 보세요.

(1) $(\frac{5}{12}, \frac{7}{10}) \rightarrow (\frac{25}{60}, \frac{42}{60})$ (2) $(\frac{7}{16}, \frac{11}{24}) \rightarrow (\frac{21}{48}, \frac{22}{48})$

15 두 분수를 통분한 것입니다. □ 안에 알맞은 수를 써넣으세요.

$(\frac{4}{5}, \frac{7}{8}) \rightarrow (\frac{64}{80}, \frac{70}{80})$

❖ 통분한 두 분수의 분모는 같으므로 분자가 70인 분수의 분모는 80입니다.

$\frac{□}{5}=\frac{□\times16}{5\times16}=\frac{64}{80} \rightarrow □\times16=64 \rightarrow □=4$,

$\frac{□}{8}=\frac{□\times10}{8\times10}=\frac{70}{80} \rightarrow □\times10=70 \rightarrow □=7$

3주 교과서

2 단계 교과서 개념 다지기

정답과 풀이 p.17

개념 5 분수의 크기 비교하기

16 두 분수의 크기를 비교하여 더 큰 분수를 두 분수의 위에 있는 ▢ 안에 써넣으세요.

$\frac{3}{4}$

$\frac{5}{8}$ $\frac{3}{4}$

$\frac{1}{6}$ $\frac{5}{8}$ $\frac{4}{7}$ $\frac{3}{4}$

❖ $(\frac{1}{6}, \frac{5}{8}) \rightarrow (\frac{4}{24}, \frac{15}{24}) \rightarrow \frac{1}{6}<\frac{5}{8}$, $(\frac{4}{7}, \frac{3}{4}) \rightarrow (\frac{16}{28}, \frac{21}{28}) \rightarrow \frac{4}{7}<\frac{3}{4}$,
$(\frac{5}{8}, \frac{3}{4}) \rightarrow (\frac{5}{8}, \frac{6}{8}) \rightarrow \frac{5}{8}<\frac{3}{4}$

17 세 분수의 크기를 비교하여 □ 안에 작은 분수부터 차례로 써넣으세요.

$(\frac{3}{5}, \frac{2}{3}, \frac{8}{15}) \rightarrow \frac{8}{15}<\frac{3}{5}<\frac{2}{3}$

❖ $(\frac{3}{5}, \frac{2}{3}) \rightarrow (\frac{9}{15}, \frac{10}{15}) \rightarrow \frac{3}{5}<\frac{2}{3}$, $(\frac{2}{3}, \frac{8}{15}) \rightarrow (\frac{10}{15}, \frac{8}{15})$
$\rightarrow \frac{2}{3}>\frac{8}{15}$, $(\frac{3}{5}, \frac{8}{15}) \rightarrow (\frac{9}{15}, \frac{8}{15}) \rightarrow \frac{3}{5}>\frac{8}{15}$

18 $\frac{3}{10}$보다 크고 $\frac{3}{8}$보다 작은 분수 중에서 분모가 40인 분수를 모두 구해 보세요.

($\frac{13}{40}, \frac{14}{40}$)

❖ $\frac{3}{10}=\frac{12}{40}$, $\frac{3}{8}=\frac{15}{40}$이므로 $\frac{12}{40}$보다 크고 $\frac{15}{40}$보다 작은 분수 중에서 분모가 40인 분수는 $\frac{13}{40}, \frac{14}{40}$입니다.

19 수박의 무게는 $1\frac{5}{9}$ kg이고, 파인애플의 무게는 $1\frac{7}{12}$ kg입니다. 어느 것이 더 무거울까요?

(파인애플)

❖ $(1\frac{5}{9}, 1\frac{7}{12}) \rightarrow (1\frac{20}{36}, 1\frac{21}{36}) \rightarrow 1\frac{5}{9}<1\frac{7}{12}$

개념 6 분수와 소수의 크기 비교하기

20 분수와 소수의 크기를 비교하여 더 큰 것에 ○표 하세요.

(1) (1.5) $1\frac{2}{5}$ (2) ($2\frac{3}{4}$) 2.6

❖ (1) $1\frac{2}{5}=1\frac{4}{10}=1.4 \rightarrow 1.5>1.4 \rightarrow 1.5>1\frac{2}{5}$

(2) $2\frac{3}{4}=2\frac{75}{100}=2.75 \rightarrow 2.75>2.6 \rightarrow 2\frac{3}{4}>2.6$

21 두 수의 크기를 비교하여 ○ 안에 >, =, <를 알맞게 써넣으세요.

(1) $\frac{7}{10}$ < 0.8 (2) 0.5 > $\frac{2}{5}$

(3) 1.21 < $1\frac{11}{50}$ (4) $\frac{3}{4}$ > 0.7

❖ (1) $\frac{7}{10}(=0.7)<0.8$ (2) $0.5>\frac{2}{5}(=\frac{4}{10}=0.4)$

(3) $1.21<1\frac{11}{50}(=1\frac{22}{100}=1.22)$ (4) $\frac{3}{4}(=0.75)>0.7$

22 분수와 소수의 크기를 비교하여 작은 수부터 차례로 써 보세요.

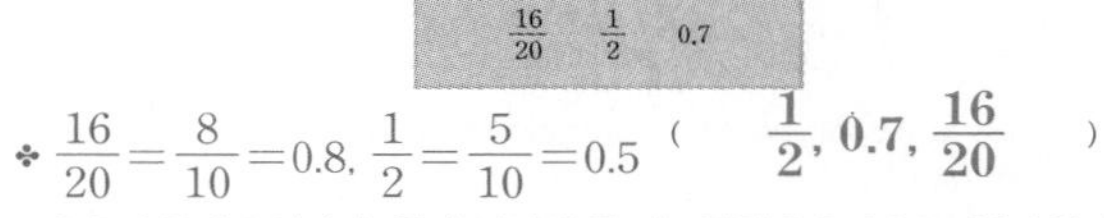

$\frac{16}{20}$ $\frac{1}{2}$ 0.7

($\frac{1}{2}$, 0.7, $\frac{16}{20}$)

❖ $\frac{16}{20}=\frac{8}{10}=0.8$, $\frac{1}{2}=\frac{5}{10}=0.5$

0.8, 0.5, 0.7의 소수 첫째 자리 수를 비교하면 $0.5<0.7<0.8$입니다.

$\rightarrow \frac{1}{2}<0.7<\frac{16}{20}$

23 오늘 영진이는 물을 $1\frac{17}{20}$ L, 동혁이는 1.9 L 마셨습니다. 물을 더 많이 마신 사람은 누구일까요?

(동혁)

❖ $(1\frac{17}{20}, 1.9) \rightarrow (1\frac{17}{20}, 1\frac{9}{10}) \rightarrow (1\frac{17}{20}, 1\frac{18}{20})$

$\rightarrow 1\frac{17}{20}<1.9$이므로 물을 더 많이 마신 사람은 동혁입니다.

3주 교과서

3단계 교과서 실력 다지기

정답과 풀이 p.18

수 카드로 기약분수 만들기

1 수 카드가 4장 있습니다. 이 중 2장을 뽑아 한 번씩만 사용하여 진분수를 만들려고 합니다. 만들 수 있는 진분수 중에서 기약분수를 모두 써 보세요.

2 3 6 9

답 $\frac{2}{3}$, $\frac{2}{9}$

개념 피드백
- 수 카드로 만들 수 있는 기약분수 찾기
① 만들 수 있는 진분수를 모두 구합니다.
② ①에서 만든 진분수 중에서 분모와 분자의 공약수가 1뿐인 기약분수를 찾습니다.

✣ 만들 수 있는 진분수: $\frac{2}{3}$, $\frac{2}{6}$, $\frac{3}{6}$, $\frac{2}{9}$, $\frac{3}{9}$, $\frac{6}{9}$

이 중 기약분수는 $\frac{2}{3}$, $\frac{2}{9}$입니다.

1-1 수 카드가 4장 있습니다. 이 중에서 2장을 뽑아 한 번씩만 사용하여 진분수를 만들려고 합니다. 만들 수 있는 진분수 중에서 기약분수는 몇 개일까요?

3 4 6 7

(4개)

✣ 만들 수 있는 진분수는 $\frac{3}{4}$, $\frac{3}{6}$, $\frac{4}{6}$, $\frac{3}{7}$, $\frac{4}{7}$, $\frac{6}{7}$입니다.

이 중에서 기약분수는 $\frac{3}{4}$, $\frac{3}{7}$, $\frac{4}{7}$, $\frac{6}{7}$으로 모두 4개입니다.

1-2 수 카드가 3장 있습니다. 이 중에서 2장을 뽑아 한 번씩만 사용하여 진분수를 만들려고 합니다. 만들 수 있는 진분수 중에서 가장 큰 기약분수는 무엇일까요?

2 5 8

($\frac{5}{8}$)

✣ 만들 수 있는 진분수는 $\frac{2}{5}$, $\frac{2}{8}$, $\frac{5}{8}$입니다. 이 중에서 기약분수는 $\frac{2}{5}$와 $\frac{5}{8}$입니다. $\left(\frac{2}{5}, \frac{5}{8}\right) \rightarrow \left(\frac{16}{40}, \frac{25}{40}\right) \rightarrow \frac{2}{5} < \frac{5}{8}$

조건을 만족하는 분수 구하기

2 분모와 분자의 합이 44이고 약분하여 $\frac{4}{7}$가 되는 분수는 얼마인지 구해 보세요.

답 $\frac{16}{28}$

개념 피드백
- 분모와 분자의 합이 ★이고 주어진 분수와 크기가 같은 분수 구하는 방법
① 주어진 분수와 크기가 같은 분수들을 씁니다.
② ①에서 쓴 분수 중에서 분모와 분자의 합이 ★인 분수를 찾습니다.

3주 교과서

✣ $\frac{4}{7}$와 크기가 같은 분수를 써 보면 다음과 같습니다.

$\frac{4}{7} = \frac{8}{14} = \frac{12}{21} = \frac{16}{28} = \frac{20}{35}$ ……

$\frac{4}{7}$와 크기가 같으면서 분모와 분자의 합이 44가 되는 분수를 찾는구나!

16+28=44이므로 분모와 분자의 합이 44인 분수는 $\frac{16}{28}$입니다.

2-1 $\frac{5}{6}$와 크기가 같은 분수 중에서 분모와 분자의 합이 66인 분수를 구해 보세요.

($\frac{30}{36}$)

✣ $\frac{5}{6} = \frac{10}{12} = \frac{15}{18} = \frac{20}{24} = \frac{25}{30} = \frac{30}{36} = \frac{35}{42}$ ……

30+36=66이므로 분모와 분자의 합이 66인 분수는 $\frac{30}{36}$입니다.

2-2 분모와 분자의 차가 15이고 약분하여 $\frac{2}{5}$가 되는 분수를 구해 보세요.

($\frac{10}{25}$)

✣ $\frac{2}{5} = \frac{4}{10} = \frac{6}{15} = \frac{8}{20} = \frac{10}{25} = \frac{12}{30}$ ……

25−10=15이므로 분모와 분자의 차가 15인 분수는 $\frac{10}{25}$입니다.

3단계 교과서 실력 다지기

정답과 풀이 p.18

통분하기 전의 기약분수 구하기

3 어떤 두 기약분수를 통분하였더니 $\frac{48}{90}$과 $\frac{55}{90}$가 되었습니다. 통분하기 전의 두 기약분수를 구해 보세요.

답 $\frac{8}{15}$, $\frac{11}{18}$

개념 피드백
- 기약분수 구하기
분수를 분모와 분자의 최대공약수로 나누면 기약분수가 됩니다.

✣ 48과 90의 최대공약수: 6, $\frac{48}{90} = \frac{48 \div 6}{90 \div 6} = \frac{8}{15}$

55와 90의 최대공약수: 5, $\frac{55}{90} = \frac{55 \div 5}{90 \div 5} = \frac{11}{18}$

3-1 어떤 두 기약분수를 통분한 것입니다. 통분하기 전의 두 기약분수를 구해 보세요.

$\frac{15}{36}$, $\frac{16}{36}$ → ($\frac{5}{12}$, $\frac{4}{9}$)

✣ $\frac{15}{36} = \frac{15 \div 3}{36 \div 3} = \frac{5}{12}$, $\frac{16}{36} = \frac{16 \div 4}{36 \div 4} = \frac{4}{9}$

3-2 어떤 두 기약분수를 통분한 종이의 일부가 찢어졌습니다. 통분하기 전의 두 기약분수를 구해 보세요.

$\frac{14}{21}$, $\frac{12}{}$

($\frac{2}{3}$, $\frac{4}{7}$)

✣ 통분한 두 분수는 분모가 같으므로 찢어진 부분의 분모는 21입니다.

$\left(\frac{14}{21}, \frac{12}{21}\right) \rightarrow \left(\frac{14 \div 7}{21 \div 7}, \frac{12 \div 3}{21 \div 3}\right) \rightarrow \left(\frac{2}{3}, \frac{4}{7}\right)$

세 분수의 크기 비교하기

4 집에서 학교, 서점, 우체국까지의 거리는 각각 $\frac{5}{8}$ km, $\frac{7}{9}$ km, $\frac{3}{5}$ km입니다. 집에서 가장 가까운 곳은 어디일까요?

답 우체국

개념 피드백
- 세 분수의 크기 비교하기
분모가 다른 세 분수는 두 분수끼리 통분하여 차례로 크기를 비교합니다.

3주 교과서

✣ $\frac{7}{9} > \frac{5}{8} > \frac{3}{5}$이므로 집에서 가장 가까운 곳은 우체국입니다.

4-1 가장 큰 수에 ○표, 가장 작은 수에 △표 하세요.

$\frac{4}{9}$(△) $\frac{1}{2}$(○) $\frac{5}{11}$

4-2 갈림길에서 가장 큰 수를 찾아 길을 따라갈 때 만나는 동물과, 가장 작은 수를 찾아 길을 따라갈 때 만나는 동물의 이름을 각각 써 보세요.

가장 큰 수를 따라갈 때 (토끼)
가장 작은 수를 따라갈 때 (판다)

✣ $\left(\frac{7}{9}, \frac{4}{5}\right) \rightarrow \left(\frac{35}{45}, \frac{36}{45}\right) \rightarrow \frac{7}{9} < \frac{4}{5}$, $\left(\frac{4}{5}, \frac{5}{7}\right) \rightarrow \left(\frac{28}{35}, \frac{25}{35}\right) \rightarrow \frac{4}{5} > \frac{5}{7}$, $\left(\frac{7}{9}, \frac{5}{7}\right) \rightarrow \left(\frac{49}{63}, \frac{45}{63}\right) \rightarrow \frac{7}{9} > \frac{5}{7}$

따라서 $\frac{4}{5} > \frac{7}{9} > \frac{5}{7}$이므로 가장 큰 수는 $\frac{4}{5}$이고, 가장 작은 수는 $\frac{5}{7}$입니다.

★ □ 안에 들어갈 수 있는 수 구하기

5 1부터 9까지의 자연수 중에서 □ 안에 들어갈 수 있는 수를 모두 구해 보세요.

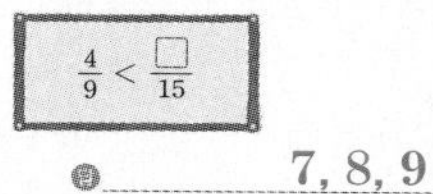

답 7, 8, 9

개념 피드백
• 크기를 비교하여 □ 안에 알맞은 수 구하기
① 소수가 있으면 분수로 고칩니다.
② 분수를 통분합니다.
③ 분자의 크기를 비교하여 알맞은 수를 구합니다.

✤ $\left(\frac{4}{9}, \frac{□}{15}\right) \rightarrow \left(\frac{20}{45}, \frac{□\times3}{45}\right)$

분자의 크기를 비교하면 $20 < □\times3$이고 □는 1부터 9까지의 자연수이므로 □ 안에 들어갈 수 있는 수는 7, 8, 9입니다.

5-1 1부터 9까지의 자연수 중에서 □ 안에 들어갈 수 있는 수를 모두 구해 보세요.

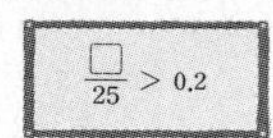

✤ $0.6=\frac{6}{10}=\frac{3}{5}$,

$\left(\frac{3}{5}, \frac{□}{7}\right) \rightarrow \left(\frac{21}{35}, \frac{□\times5}{35}\right)$ (1, 2, 3, 4)

분자의 크기를 비교하면 $21 > □\times5$이므로 □ 안에 들어갈 수 있는 수는 1, 2, 3, 4입니다.

5-2 1부터 9까지의 자연수 중에서 □ 안에 들어갈 수 있는 수를 모두 구해 보세요.

(6, 7, 8, 9)

✤ $0.2=\frac{2}{10}=\frac{1}{5}$

$\left(\frac{□}{25}, \frac{1}{5}\right) \rightarrow \left(\frac{□}{25}, \frac{5}{25}\right)$이므로 $□ > 5$이고, □ 안에 들어갈 수 있는 수는 6, 7, 8, 9입니다.

★ 분수를 만들어 크기 비교하기

✤ 정우가 만든 진분수: $\frac{5}{9}$, 민재가 만든 진분수: $\frac{4}{7}$

6 두 사람이 가지고 있는 수 카드를 한 번씩만 사용하여 각각 진분수를 만들었습니다. 더 큰 진분수를 만든 사람은 누구일까요?

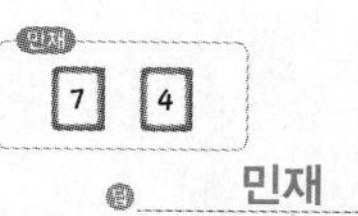

답 민재

개념 피드백
• 수 카드로 만든 진분수의 크기 비교하기
① 두 장의 수 카드 중 큰 수를 분모에, 작은 수를 분자에 써서 진분수를 만듭니다.
② 두 진분수의 분모를 통분하여 크기를 비교합니다.

$\left(\frac{5}{9}, \frac{4}{7}\right) \rightarrow \left(\frac{35}{63}, \frac{36}{63}\right) \rightarrow \frac{5}{9} < \frac{4}{7}$

따라서 민재가 만든 진분수가 더 큽니다.

6-1 두 사람이 각자 가지고 있는 수 카드를 한 번씩만 사용하여 진분수를 만들었습니다. 더 작은 진분수를 만든 사람은 누구일까요?

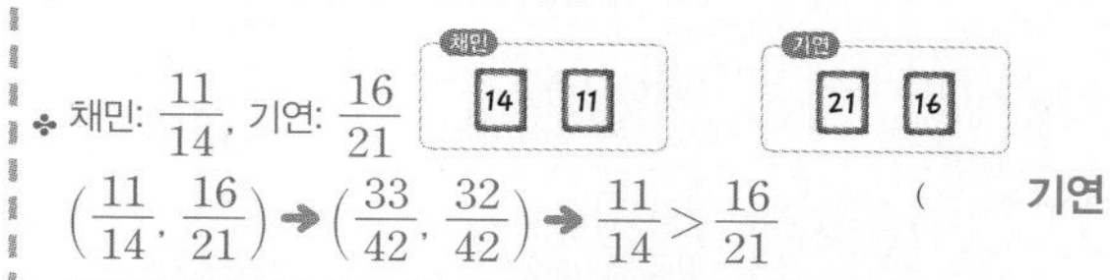

✤ 채민: $\frac{11}{14}$, 기연: $\frac{16}{21}$

$\left(\frac{11}{14}, \frac{16}{21}\right) \rightarrow \left(\frac{33}{42}, \frac{32}{42}\right) \rightarrow \frac{11}{14} > \frac{16}{21}$ (기연)

따라서 기연이가 만든 진분수가 더 작습니다.

6-2 세 사람이 각자 가지고 있는 수 카드를 한 번씩만 사용하여 진분수를 만들었습니다. 가장 큰 진분수를 만든 사람은 누구일까요?

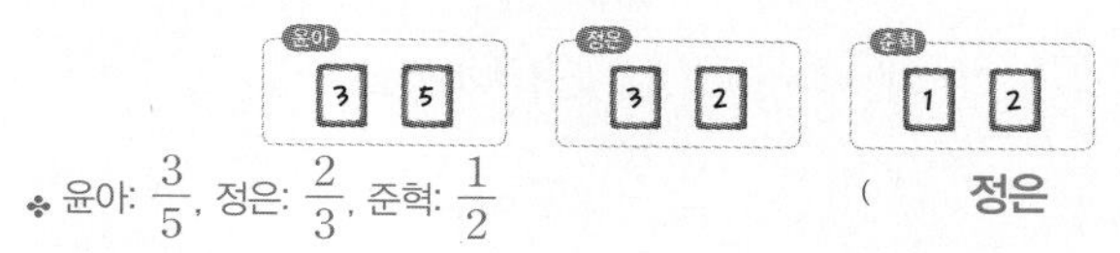

✤ 윤아: $\frac{3}{5}$, 정은: $\frac{2}{3}$, 준혁: $\frac{1}{2}$ (정은)

$\left(\frac{3}{5}, \frac{2}{3}, \frac{1}{2}\right) \rightarrow \left(\frac{18}{30}, \frac{20}{30}, \frac{15}{30}\right) \rightarrow \frac{20}{30} > \frac{18}{30} > \frac{15}{30}$

따라서 정은이가 만든 진분수가 가장 큽니다.

3주 교과서

Test 교과서 서술형 연습

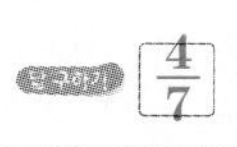

1 (서술형 연습) 진주네 학교 5학년 학생 280명 중에서 남학생은 120명입니다. 여학생 수는 5학년 학생 수의 몇 분의 몇인지 기약분수로 나타내어 보세요.

구하려는 것, 주어진 것에 선을 그어 봅니다.

해결하기 여학생 수를 구해 보면 280 − 120 = 160 (명)입니다.

여학생 수는 5학년 학생 수의 $\frac{160}{280}$이고

기약분수로 나타내면 $\frac{4}{7}$입니다.

답 구하기 $\frac{4}{7}$

2 (서술형 연습) 오늘 박물관에 입장한 학생은 모두 156명입니다. 그중 48명이 안경을 쓴 학생이라면 안경을 쓰지 않는 학생은 전체 학생의 몇 분의 몇인지 기약분수로 나타내어 보세요.
(주어진 것 / 주어진 것 / 구하려는 것)

구하려는 것, 주어진 것에 선을 그어 봅니다.

해결하기 예 안경을 쓰지 않는 학생은 $156-48=108$(명)입니다.

안경을 쓰지 않는 학생은 전체의 $\frac{108}{156}$입니다.

$\frac{108}{156}=\frac{108\div12}{156\div12}=\frac{9}{13}$

답 구하기 $\frac{9}{13}$

3 (서술형 연습) 오른쪽 두 분수를 통분하려고 합니다. 공통분모가 될 수 있는 수 중에서 100에 가장 가까운 수를 공통분모로 하여 통분해 보세요.

$\frac{8}{11}$, $\frac{3}{4}$

해결하기 공통분모가 될 수 있는 수 중에서 가장 작은 수는 두 분모 11과 4의 최소공배수 입니다.

11과 4의 최소공배수: 44 → 공배수: 44, 88, 132 ……

공배수 중에서 100에 가장 가까운 수는 88이므로

이 수를 공통분모로 하여 통분하면 $\frac{64}{88}$, $\frac{66}{88}$입니다.

답 구하기 $\frac{64}{88}$, $\frac{66}{88}$

4 (서술형 연습) $\frac{7}{12}$과 $\frac{2}{5}$를 통분하려고 합니다. 공통분모가 될 수 있는 수 중에서 세 번째로 작은 수를 공통분모로 하여 통분해 보세요.

해결하기 예 12와 5의 최소공배수: 60

12와 5의 공배수: 60, 120, 180……

따라서 세 번째로 작은 수인 180을 공통분모로 하여 통분합니다.

$\left(\frac{7}{12}, \frac{2}{5}\right) \rightarrow \left(\frac{105}{180}, \frac{72}{180}\right)$

답 구하기 $\frac{105}{180}$, $\frac{72}{180}$

3주 교과서

80쪽 ~ 81쪽

82쪽 ~ 83쪽

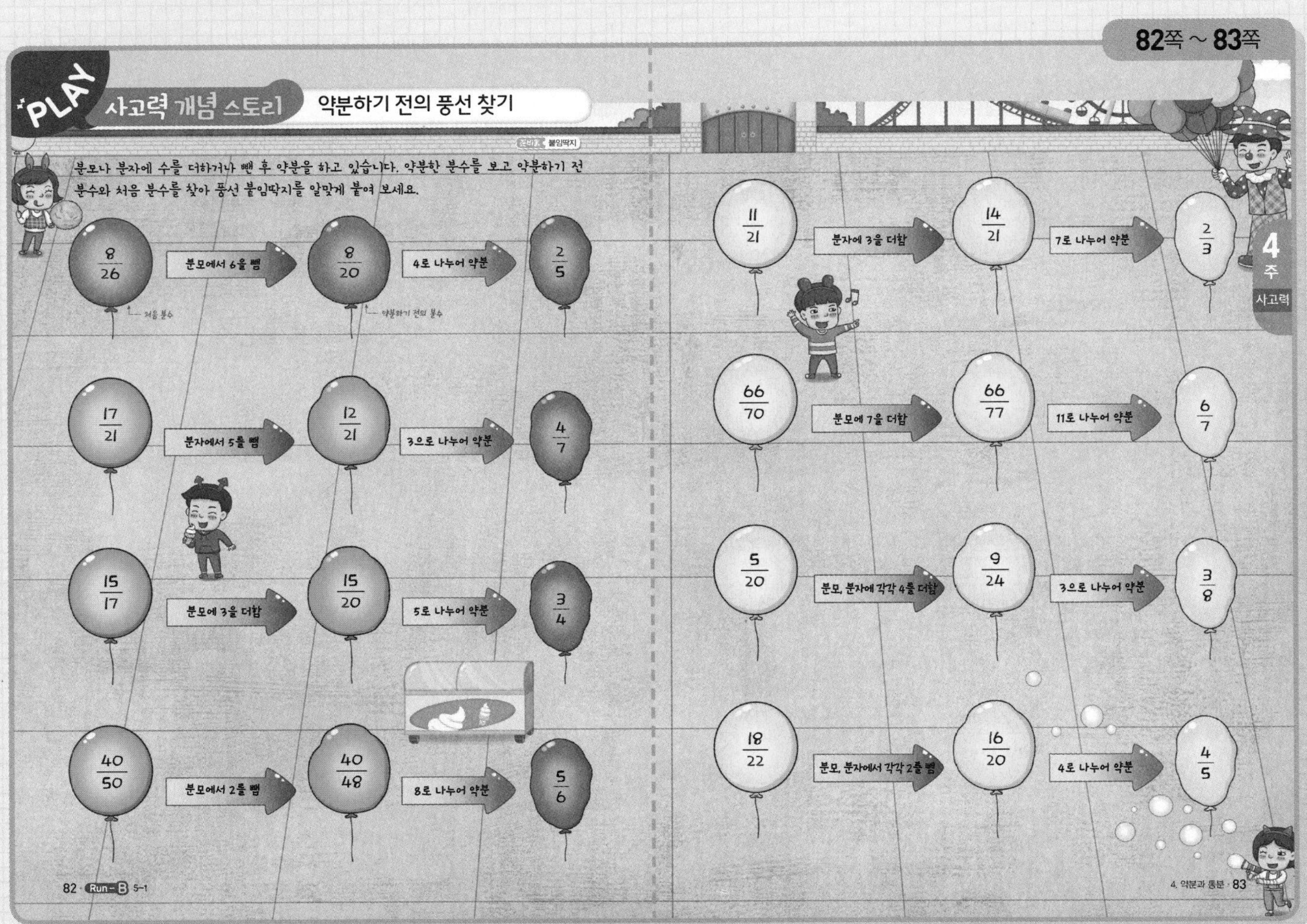

정답과 풀이 p.21

1 여진이네 반 학생들이 현장 체험 학습 장소로 가고 싶은 장소를 조사하여 나타낸 것입니다. 놀이동산과 박물관에 가고 싶어 하는 학생 수는 각각 전체 학생 수의 몇 분의 몇인지 기약분수로 나타내어 보세요. (단, 한 사람이 한 장소씩 답했습니다.)

가고 싶은 장소

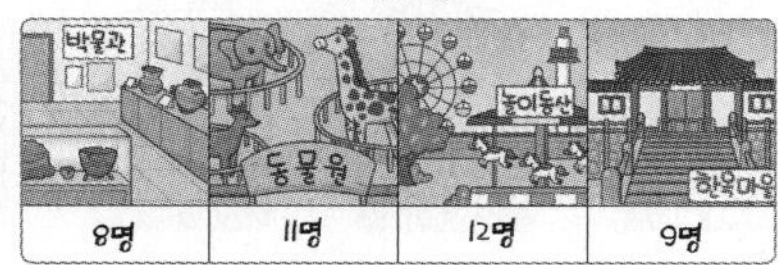

8명	11명	12명	9명

❶ 여진이네 반 학생은 모두 몇 명일까요?

(40명)

✤ $8+11+12+9=40$(명)

❷ 놀이동산에 가고 싶어 하는 학생 수는 전체 학생 수의 몇 분의 몇인지 기약분수로 나타내어 보세요.

($\frac{3}{10}$)

✤ $\frac{12}{40}=\frac{12\div4}{40\div4}=\frac{3}{10}$

❸ 박물관에 가고 싶어 하는 학생 수는 전체 학생 수의 몇 분의 몇인지 기약분수로 나타내어 보세요.

($\frac{1}{5}$)

✤ $\frac{8}{40}=\frac{8\div8}{40\div8}=\frac{1}{5}$

2 조건 을 만족하는 분수를 모두 구해 보세요.

조건
- $\frac{7}{11}$과 크기가 같습니다.
- 분모가 50보다 크고 100보다 작습니다.
- 분자가 40보다 크고 50보다 작습니다.

4 주 사고력

❶ $\frac{7}{11}$과 크기가 같은 분수를 분모가 작은 수부터 9개 써 보세요.

$\frac{14}{22}, \frac{21}{33}, \frac{28}{44}, \frac{35}{55}, \frac{42}{66}, \frac{49}{77}, \frac{56}{88}, \frac{63}{99}, \frac{70}{110}$

✤ 분모와 분자에 각각 2, 3, 4……를 곱하여 크기가 같은 분수를 구합니다.

❷ 위 ❶에서 구한 분수 중 분모가 50보다 크고 100보다 작은 분수를 모두 써 보세요.

$\frac{35}{55}, \frac{42}{66}, \frac{49}{77}, \frac{56}{88}, \frac{63}{99}$

❸ 위 ❷에서 구한 분수 중 분자가 40보다 크고 50보다 작은 분수를 모두 써 보세요.

$\frac{42}{66}, \frac{49}{77}$

1 단계 교과 사고력 잡기

정답과 풀이 p.21

3 무게가 각각 다음과 같은 가, 나, 다 세 개의 추를 그림과 같이 용수철에 매달았습니다. 가, 나, 다의 추가 매달린 용수철을 찾아보고 그렇게 생각한 이유를 써 보세요.

가: $\frac{7}{12}$ kg
나: $\frac{5}{8}$ kg
다: $\frac{10}{13}$ kg

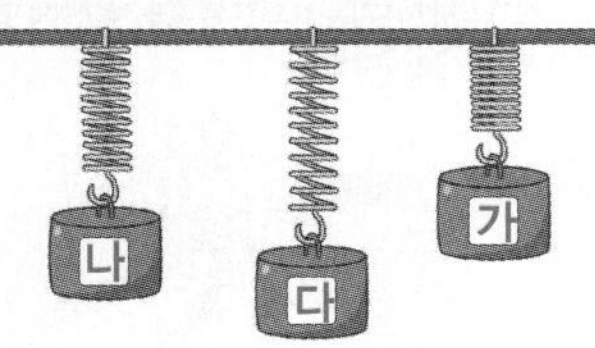

❶ 가, 나, 다 추의 무게인 세 분수의 크기를 비교해 보세요.

$\frac{10}{13} > \frac{5}{8} > \frac{7}{12}$

✤ $\left(\frac{7}{12}, \frac{5}{8}\right) \rightarrow \left(\frac{14}{24}, \frac{15}{24}\right) \rightarrow \frac{7}{12}<\frac{5}{8}$

$\left(\frac{5}{8}, \frac{10}{13}\right) \rightarrow \left(\frac{65}{104}, \frac{80}{104}\right) \rightarrow \frac{5}{8}<\frac{10}{13}$ 따라서 $\frac{10}{13}>\frac{5}{8}>\frac{7}{12}$입니다.

❷ 위 그림의 □ 안에 알맞은 추의 기호를 써넣으세요.

❸ 위 ❷와 같이 생각한 이유를 써 보세요.

예 다 추가 가장 무거우므로 용수철이 가장 많이 늘어난 곳에 매달려 있고, 가 추가 가장 가벼우므로 용수철이 가장 적게 늘어난 곳에 매달려 있습니다.

4 지민이는 3000원을 가지고 있습니다. 지우개 1개와 공책 1권을 샀을 때 남은 돈은 처음에 가지고 있던 돈의 몇 분의 몇인지 기약분수로 나타내어 보세요.

❶ 지민이가 산 학용품은 모두 얼마일까요?

(1400원)

✤ $500+900=1400$(원)

❷ 학용품을 사고 남은 돈은 얼마일까요?

(1600원)

✤ $3000-1400=1600$(원)

❸ 남은 돈은 처음에 가지고 있던 돈의 몇 분의 몇인지 기약분수로 나타내어 보세요.

($\frac{8}{15}$)

✤ $\frac{1600}{3000}=\frac{1600\div200}{3000\div200}=\frac{8}{15}$

2단계 교과 사고력 확장

정답과 풀이 p.22

1 민호, 나라, 혜승이는 크기가 같은 피자를 먹고 각자 $\frac{2}{3}$, $\frac{3}{4}$, $\frac{4}{5}$만큼씩 피자를 남겼습니다. 남아 있는 피자의 양이 가장 많은 사람은 누구인지 구해 보세요.

① 남아 있는 피자의 양만큼 색칠해 보세요.

예

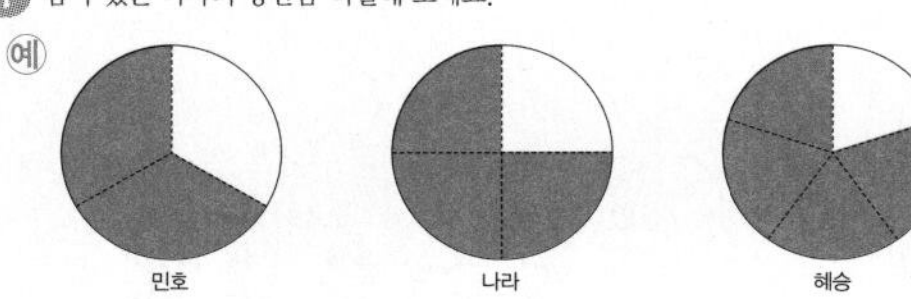

② 남아 있는 피자의 양을 보고 분수의 크기를 비교하여 □ 안에 알맞은 수나 말을 써넣으세요.

$\boxed{\frac{4}{5}} > \boxed{\frac{3}{4}} > \boxed{\frac{2}{3}}$

→ 분자가 분모보다 1 작은 분수는 분모가 클수록 더 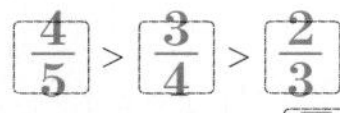 큽니다.

③ 남아 있는 피자의 양이 가장 많은 사람은 누구일까요?

(혜승)

2 5명의 학생이 각각 분수 카드를 1장씩 가지고 있습니다. 4개의 문이 있고, 자기가 가진 수와 크기가 같은 분수가 쓰인 문을 열고 안으로 들어갈 수 있습니다. 문으로 들어가지 못하는 학생은 누구일까요?

4주 사고력

① 각 번호의 문으로 들어가는 학생은 누구인지 표를 완성해 보세요.

문	1번	2번	3번	4번
학생 이름	서희	현서	윤하	준우

✤ $\frac{10}{14}=\frac{10\div2}{14\div2}=\frac{5}{7}$, $\frac{21}{27}=\frac{21\div3}{27\div3}=\frac{7}{9}$,
$\frac{12}{18}=\frac{12\div6}{18\div6}=\frac{2}{3}$, $\frac{10}{40}=\frac{10\div10}{40\div10}=\frac{1}{4}$

② 문으로 들어가지 못하는 학생은 누구일까요?

(강호)

2단계 교과 사고력 확장

정답과 풀이 p.22

3 모양과 크기가 같은 3개의 병에 서로 다른 종류의 음료수가 담겨 있습니다. 윤아, 호동, 승기가 각각 한 가지씩 마시려고 합니다. 3개의 병에는 각각 딸기 주스 $\frac{3}{5}$ L, 콜라 $\frac{2}{7}$ L, 오렌지 주스 $\frac{5}{9}$ L가 들어 있다면 승기가 마실 음료수는 무엇인지 구해 보세요.

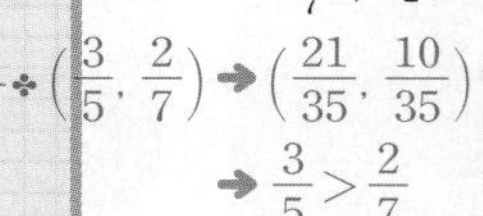

• 윤아: 나는 탄산음료를 마실 거야.
• 호동: 나는 가장 많이 들어 있는 것을 마실 거야.
• 승기: 그럼 나는 남은 음료수를 마실게.

✤ $\left(\frac{3}{5}, \frac{2}{7}\right) \rightarrow \left(\frac{21}{35}, \frac{10}{35}\right) \rightarrow \frac{3}{5} > \frac{2}{7}$

① 음료수의 양을 나타내는 세 분수의 크기를 비교해 보세요.

$\boxed{\frac{3}{5}} > \boxed{\frac{5}{9}} > \boxed{\frac{2}{7}}$

$\left(\frac{2}{7}, \frac{5}{9}\right) \rightarrow \left(\frac{18}{63}, \frac{35}{63}\right) \rightarrow \frac{2}{7} < \frac{5}{9}$, $\left(\frac{3}{5}, \frac{5}{9}\right) \rightarrow \left(\frac{27}{45}, \frac{25}{45}\right) \rightarrow \frac{3}{5} > \frac{5}{9}$

② 각 병에 담긴 음료수가 무엇인지 양을 비교하여 딸기 주스는 빨간색, 콜라는 검은색, 오렌지 주스는 노란색으로 색칠해 보세요.

③ 호동이가 마실 음료수는 무엇인지 써 보세요.

(딸기 주스)

✤ 호동이는 양이 가장 많은 딸기 주스를 마십니다.

④ 승기가 마실 음료수는 무엇인지 써 보세요.

(오렌지 주스)

✤ 호동이는 딸기 주스를 마시고 윤아는 탄산음료인 콜라를 마시므로 승기는 남은 음료수인 오렌지 주스를 마십니다.

4 세 학생 연우, 효정, 동민이가 학교에서 같은 시각에 집을 향해 동시에 출발하였습니다. 집에 도착한 시각을 보고 연우, 효정, 동민이의 집을 각각 찾아 보세요. (단, 세 학생이 걷는 빠르기는 같습니다.)

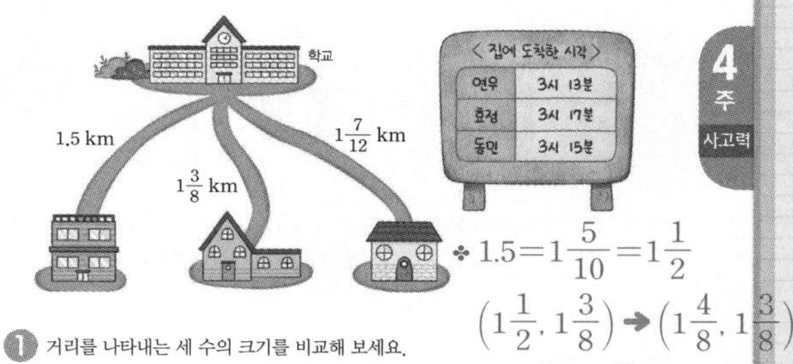

4주 사고력

✤ $1.5=1\frac{5}{10}=1\frac{1}{2}$

$\left(1\frac{1}{2}, 1\frac{3}{8}\right) \rightarrow \left(1\frac{4}{8}, 1\frac{3}{8}\right)$

① 거리를 나타내는 세 수의 크기를 비교해 보세요.

$\boxed{1\frac{7}{12}} > \boxed{1.5} > \boxed{1\frac{3}{8}}$ $\rightarrow 1\frac{1}{2} > 1\frac{3}{8}$

$\left(1\frac{3}{8}, 1\frac{7}{12}\right) \rightarrow \left(1\frac{9}{24}, 1\frac{14}{24}\right) \rightarrow 1\frac{3}{8} < 1\frac{7}{12}$

$\left(1\frac{1}{2}, 1\frac{7}{12}\right) \rightarrow \left(1\frac{6}{12}, 1\frac{7}{12}\right) \rightarrow 1\frac{1}{2} < 1\frac{7}{12}$

② 학생들의 집을 선으로 바르게 이어 보세요.

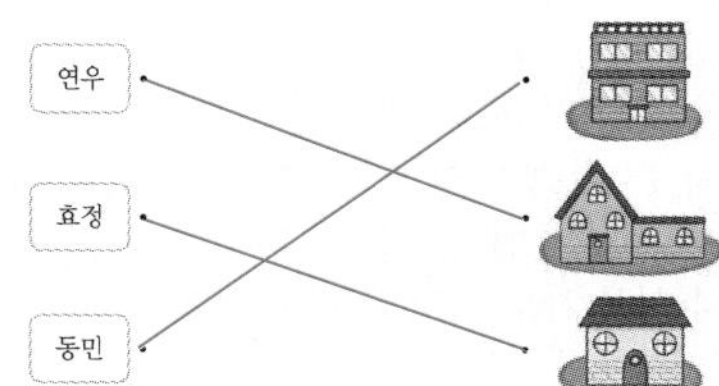

✤ 거리가 멀수록 집에 도착한 시각이 늦습니다.

3단계 교과 사고력 완성

평가 영역 ☑개념 이해력 □개념 응용력 □창의력 □문제 해결력

1 다음은 곱셈구구표입니다. 곱셈구구표를 보면 크기가 같은 분수를 쉽게 찾을 수 있습니다. 보기와 같은 방법으로 크기가 같은 분수를 만들어 보세요.

	×	1	2	3	4	5	6	7	8	9
1행 →	1	1	2	3	4	5	6	7	8	9
	2	2	4	6	8	10	12	14	16	18
3행 →	3	3	6	9	12	15	18	21	24	27
	4	4	8	12	16	20	24	28	32	36
	5	5	10	15	20	25	30	35	40	45
	6	6	12	18	24	30	36	42	48	54
	7	7	14	21	28	35	42	49	56	63
	8	8	16	24	32	40	48	56	64	72
	9	9	18	27	36	45	54	63	72	81

보기

곱셈구구표의 1행과 3행을 이용하여 $\frac{1}{3}$과 크기가 같은 분수를 만들 수 있습니다.

×	1	2	3	4	5	6	7	8	9	
1	1	2	3	4	5	6	7	8	9	← 분자
3	3	6	9	12	15	18	21	24	27	← 분모

$\frac{1}{3}=\frac{2}{6}=\frac{3}{9}=\frac{4}{12}=\frac{5}{15}=\frac{6}{18}=\frac{7}{21}=\frac{8}{24}=\frac{9}{27}$

① 3행과 7행을 이용하여 $\frac{3}{7}$과 크기가 같은 분수를 만들어 보세요.

$\frac{3}{7}=\frac{6}{14}=\frac{9}{21}=\frac{12}{28}=\frac{15}{35}=\frac{18}{42}=\frac{21}{49}=\frac{24}{56}=\frac{27}{63}$

② 5행과 9행을 이용하여 $\frac{5}{9}$와 크기가 같은 분수를 만들어 보세요.

$\frac{5}{9}=\frac{20}{36}=\frac{30}{54}=\frac{45}{81}$

평가 영역 □개념 이해력 □개념 응용력 ☑창의력 □문제 해결력

2 각 음에는 고유한 진동수가 있습니다. 두 음의 진동수로 분수를 만들어 기약분수로 나타내었을 때 분모와 분자가 모두 7보다 작으면 두 음은 잘 어울리는 음이라고 합니다. 잘 어울리는 음을 찾아보세요.

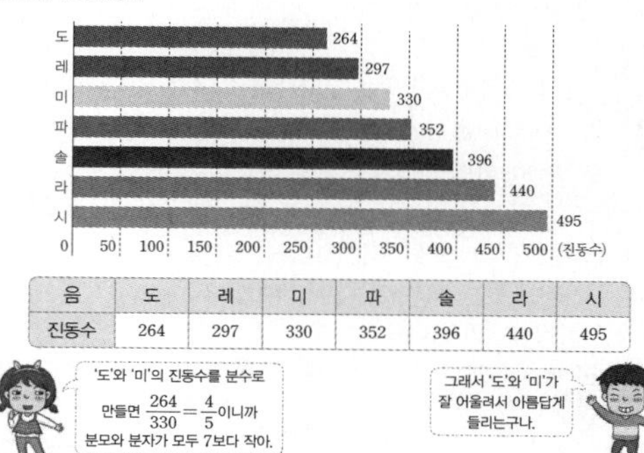

음	도	레	미	파	솔	라	시
진동수	264	297	330	352	396	440	495

'도'와 '미'의 진동수를 분수로 만들면 $\frac{264}{330}=\frac{4}{5}$이니까 분모와 분자가 모두 7보다 작아.

그래서 '도'와 '미'가 잘 어울려서 아름답게 들리는구나.

① 다음 중 잘 어울리는 두 음은 무엇인지 기호를 써 보세요.

㉠ 파와 시　㉡ 솔과 라　㉢ 파와 라

(㉢)

✣ ㉠ $\frac{352}{495}=\frac{352\div 11}{495\div 11}=\frac{32}{45}$

㉡ $\frac{396}{440}=\frac{396\div 44}{440\div 44}=\frac{9}{10}$　㉢ $\frac{352}{440}=\frac{352\div 88}{440\div 88}=\frac{4}{5}$

따라서 분모와 분자가 모두 7보다 작은 수는 $\frac{4}{5}$이므로 잘 어울리는 두 음은 '파'와 '라'입니다.

② '솔'과 '시'는 잘 어울리는 음일까요, 잘 어울리지 않는 음일까요?

(잘 어울리는 음입니다.)

✣ '솔'과 '시'의 진동수로 만든 분수 $\frac{396}{495}$을 기약분수로 나타내면

$\frac{396}{495}=\frac{396\div 99}{495\div 99}=\frac{4}{5}$입니다.

분모와 분자가 모두 7보다 작으므로 두 음은 잘 어울리는 음입니다.

Test 종합평가 4. 약분과 통분

맞은 개수

1 분수만큼 색칠하고 크기가 같은 분수를 □ 안에 써 넣으세요.

예)

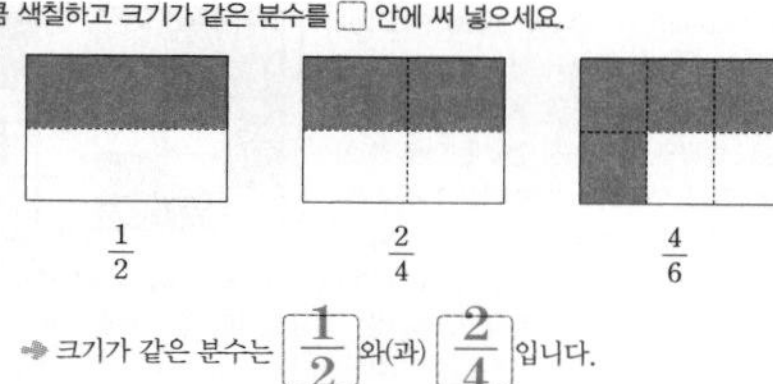

$\frac{1}{2}$　$\frac{2}{4}$　$\frac{4}{6}$

→ 크기가 같은 분수는 $\frac{1}{2}$와(과) $\frac{2}{4}$입니다.

✣ 주어진 분수만큼 색칠하면 $\frac{1}{2}$과 $\frac{2}{4}$의 크기가 같습니다.

2 크기가 같은 분수가 되도록 □ 안에 알맞은 수를 써넣으세요.

$\frac{5}{8}=\frac{10}{16}=\frac{15}{24}=\frac{20}{32}=\frac{25}{40}$

✣ 주어진 분수의 분모와 분자에 각각 0이 아닌 같은 수를 곱하면 크기가 같은 분수가 됩니다.

3 $\frac{16}{24}$을 약분한 분수를 모두 써 보세요.

$\frac{16}{24}$ → $\frac{8}{12}, \frac{4}{6}, \frac{2}{3}$

✣ 16과 24의 공약수는 1, 2, 4, 8이므로 분모와 분자를 각각 2, 4, 8로 나누어 약분합니다.

$\frac{16\div 2}{24\div 2}=\frac{8}{12}$, $\frac{16\div 4}{24\div 4}=\frac{4}{6}$, $\frac{16\div 8}{24\div 8}=\frac{2}{3}$

4 기약분수를 모두 찾아 ○표 하세요.

$\frac{3}{44}$(○)　$\frac{13}{26}$　$\frac{9}{52}$(○)　$\frac{16}{30}$

✣ 기약분수는 분모와 분자의 공약수가 1뿐인 분수입니다.

$\frac{13}{26}=\frac{13\div 13}{26\div 13}=\frac{1}{2}$, $\frac{16}{30}=\frac{16\div 2}{30\div 2}=\frac{8}{15}$

5 $\frac{7}{15}$과 $\frac{5}{6}$를 통분하려고 합니다. 공통분모가 될 수 있는 수를 가장 작은 수부터 3개 써 보세요.

(30, 60, 90)

✣ 공통분모가 될 수 있는 수는 두 분모 15와 6의 공배수입니다. 15와 6의 최소공배수는 30이므로 두 수의 공배수를 가장 작은 수부터 3개 써 보면 30, 60, 90입니다.

6 두 분모의 곱을 공통분모로 하여 통분해 보세요.

(1) $(\frac{2}{3}, \frac{4}{5}) \rightarrow (\frac{10}{15}, \frac{12}{15})$　(2) $(\frac{3}{4}, \frac{7}{10}) \rightarrow (\frac{30}{40}, \frac{28}{40})$

✣ (1) $(\frac{2}{3}, \frac{4}{5}) \rightarrow (\frac{2\times 5}{3\times 5}, \frac{4\times 3}{5\times 3}) \rightarrow (\frac{10}{15}, \frac{12}{15})$

(2) $(\frac{3}{4}, \frac{7}{10}) \rightarrow (\frac{3\times 10}{4\times 10}, \frac{7\times 4}{10\times 4}) \rightarrow (\frac{30}{40}, \frac{28}{40})$

7 두 분모의 최소공배수를 공통분모로 하여 통분해 보세요.

$(\frac{5}{12}, \frac{4}{15}) \rightarrow (\frac{25}{60}, \frac{16}{60})$

✣ 12와 15의 최소공배수: 60

$(\frac{5}{12}, \frac{4}{15}) \rightarrow (\frac{5\times 5}{12\times 5}, \frac{4\times 4}{15\times 4}) \rightarrow (\frac{25}{60}, \frac{16}{60})$

8 두 수의 크기를 비교하여 ○ 안에 >, =, <를 알맞게 써넣으세요.

(1) $\frac{9}{11}$ (>) 0.8　(2) 1.75 (<) $1\frac{4}{5}$

✣ (1) $0.8=\frac{8}{10}=\frac{4}{5}$　(2) $1.75 < 1\frac{4}{5}(=1\frac{8}{10}=1.8)$

$(\frac{9}{11}, \frac{4}{5}) \rightarrow (\frac{45}{55}, \frac{44}{55})$

$\rightarrow \frac{9}{11} > 0.8$

4. 약분과 통분

정답과 풀이 p.24

9 진분수 $\frac{\square}{9}$가 기약분수라고 할 때 □ 안에 들어갈 수 있는 수를 모두 써 보세요.

(1, 2, 4, 5, 7, 8)

✣ 진분수이므로 □ 안에 들어갈 수 있는 수는 1, 2, 3, 4, 5, 6, 7, 8입니다.
이 중 기약분수가 되는 분자는 1, 2, 4, 5, 7, 8입니다.

10 $\frac{42}{63}$의 분모와 분자를 한 번만 나누어 기약분수로 나타내려고 합니다. 분모와 분자를 어떤 수로 나누어야 하는지 구해 보세요.

(21)

✣ 분모와 분자를 한 번만 나누어 기약분수로 나타내려면 분모와 분자의 최대공약수로 나누어야 합니다.
42와 63의 최대공약수: 21

11 고양이는 갈림길마다 더 큰 수가 쓰여 있는 생선을 먹으면서 갑니다. 고양이가 먹게 되는 생선에 모두 ○표 하세요.

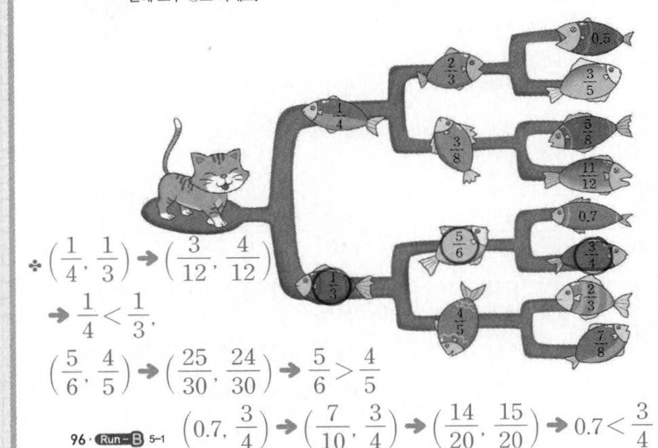

✣ $\left(\frac{1}{4}, \frac{1}{3}\right) \rightarrow \left(\frac{3}{12}, \frac{4}{12}\right) \rightarrow \frac{1}{4} < \frac{1}{3}$,
$\left(\frac{5}{6}, \frac{4}{5}\right) \rightarrow \left(\frac{25}{30}, \frac{24}{30}\right) \rightarrow \frac{5}{6} > \frac{4}{5}$
$\left(0.7, \frac{3}{4}\right) \rightarrow \left(\frac{7}{10}, \frac{3}{4}\right) \rightarrow \left(\frac{14}{20}, \frac{15}{20}\right) \rightarrow 0.7 < \frac{3}{4}$

12 기약분수로 나타내었을 때 분모와 분자의 합이 가장 큰 것을 찾아 써 보세요.

$\frac{12}{28}$ $\frac{24}{32}$ $\frac{48}{54}$ $\frac{40}{60}$

($\frac{48}{54}$)

✣ $\frac{12}{28} = \frac{3}{7} \rightarrow 3+7=10$, $\frac{24}{32} = \frac{3}{4} \rightarrow 3+4=7$
$\frac{48}{54} = \frac{8}{9} \rightarrow 8+9=17$, $\frac{40}{60} = \frac{2}{3} \rightarrow 2+3=5$

13 두 사람이 각자 가지고 있는 수 카드를 한 번씩만 사용하여 진분수를 만들었습니다. 더 큰 진분수를 만든 사람은 누구일까요?

(준호)

✣ 준호가 만든 진분수: $\frac{5}{8}$, 재현이가 만든 진분수: $\frac{7}{12}$
$\left(\frac{5}{8}, \frac{7}{12}\right) \rightarrow \left(\frac{15}{24}, \frac{14}{24}\right) \rightarrow \frac{5}{8} > \frac{7}{12}$

14 □ 안에 들어갈 수 있는 자연수는 모두 몇 개일까요?

$\frac{\square}{13} < \frac{4}{9}$

(5개)

✣ $\left(\frac{\square \times 9}{13 \times 9}, \frac{4 \times 13}{9 \times 13}\right) \rightarrow \left(\frac{\square \times 9}{117}, \frac{52}{117}\right)$
분자를 비교해 보면 □×9<52이므로 □=1, 2, 3, 4, 5입니다.
따라서 □ 안에 들어갈 수 있는 자연수는 5개입니다.

15 $\frac{5}{12}$와 크기가 같은 분수 중에서 분모와 분자의 차가 28인 분수를 써 보세요.

($\frac{20}{48}$)

✣ $\frac{5}{12}$와 크기가 같은 분수는 $\frac{10}{24}, \frac{15}{36}, \frac{20}{48}, \frac{25}{60}$……입니다.
이 중에서 분모와 분자의 차가 28인 분수는 $\frac{20}{48}$입니다.

Test 종합평가 4. 약분과 통분

정답과 풀이 p.24

16 $\frac{15}{17}$와 크기가 같은 분수 중에서 분모가 30보다 크고 80보다 작은 분수는 모두 몇 개일까요?

(3개)

✣ $\frac{15}{17} = \frac{30}{34} = \frac{45}{51} = \frac{60}{68} = \frac{75}{85}$……
따라서 분모가 30보다 크고 80보다 작은 분수는 $\frac{30}{34}, \frac{45}{51}, \frac{60}{68}$으로 3개입니다.

17 $\frac{3}{5}$보다 크고 $\frac{13}{15}$보다 작은 분수 중에서 분모가 15인 분수는 몇 개일까요?

(3개)

✣ $\frac{3}{5} = \frac{3 \times 3}{5 \times 3} = \frac{9}{15}$이므로 $\frac{9}{15}$보다 크고 $\frac{13}{15}$보다 작은 분수 중에서 분모가 15인 분수는 $\frac{10}{15}, \frac{11}{15}, \frac{12}{15}$로 3개입니다.

18 진주, 나경, 보미는 약수터에 가서 각각 $1\frac{3}{5}$ L, 1.2 L, $1\frac{9}{20}$ L의 물을 받았습니다. 물을 많이 받은 사람부터 차례로 이름을 써 보세요.

(진주, 보미, 나경)

✣ $\left(1\frac{3}{5}, 1.2\right) \rightarrow \left(1\frac{3}{5}, 1\frac{1}{5}\right) \rightarrow 1\frac{3}{5} > 1.2$
$\left(1.2, 1\frac{9}{20}\right) \rightarrow \left(1\frac{2}{10}, 1\frac{9}{20}\right) \rightarrow \left(1\frac{4}{20}, 1\frac{9}{20}\right) \rightarrow 1.2 < 1\frac{9}{20}$
$\left(1\frac{3}{5}, 1\frac{9}{20}\right) \rightarrow \left(1\frac{12}{20}, 1\frac{9}{20}\right) \rightarrow 1\frac{3}{5} > 1\frac{9}{20}$. 따라서 $1\frac{3}{5} > 1\frac{9}{20} > 1.2$입니다.

19 $\frac{16}{21}$의 분모와 분자에 같은 자연수를 더하여 $\frac{4}{5}$와 크기가 같은 분수를 만들었습니다. 분모와 분자에 최대한 작은 수를 더했을 때 더한 수는 얼마인지 구해 보세요.

(4)

✣ $\frac{4}{5} = \frac{8}{10} = \frac{12}{15} = \frac{16}{20} = \frac{20}{25}$……
$\frac{16}{21}$의 분모와 분자에 4를 더하면 $\frac{20}{25}$이 되므로 4를 더하면 됩니다.

특강 창의·융합 사고력

정답과 풀이 p.24

1 네덜란드 화가인 피에트 몬드리안(Piet Mondrian)은 20세기 미술과 건축, 패션 등 예술계 전반에 새로운 시야를 열고 추상 미술의 발전을 이끈 가장 중요한 인물 중 한 명입니다. 몬드리안은 주로 직선과 직각, 삼원색(청색, 적색, 황색)과 무채색(하얀색, 회색, 검은색)만을 사용해 작품을 많이 그렸는데, 이를 통해 '질서와 균형의 아름다움'을 표현했다고 합니다. 오른쪽은 몬드리안의 작품 '구성'입니다. 예지는 몬드리안 작품을 흉내내어 다음과 같이 그려 보았습니다. 물음에 답하세요.

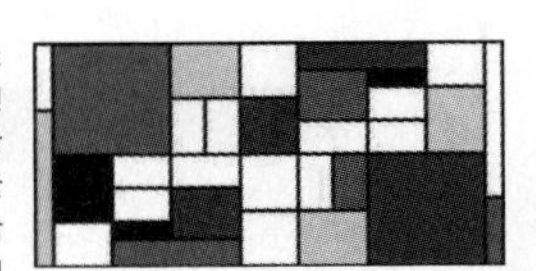

예지 ㉠ ㉡

(1) 파란색을 칠한 부분은 전체의 $\frac{4}{21}$이고, 빨간색을 칠한 부분은 전체의 $\frac{3}{14}$입니다. 파란색과 빨간색을 칠한 부분 중 어느 색을 칠한 부분의 넓이가 더 넓을까요?

(빨간색)

✣ $\left(\frac{4}{21}, \frac{3}{14}\right) \rightarrow \left(\frac{8}{42}, \frac{9}{42}\right) \rightarrow \frac{4}{21} < \frac{3}{14}$
따라서 빨간색을 칠한 부분의 넓이가 더 넓습니다.

(2) 회색으로 칠해진 ㉠의 넓이는 전체 넓이의 $\frac{7}{48}$이고, ㉡의 넓이는 전체 넓이의 $\frac{5}{36}$입니다. ㉠과 ㉡ 중 더 넓은 것을 검은색으로 바꾸어 칠하려고 합니다. 검은색으로 칠해지는 부분의 기호를 써 보세요.

(㉠)

✣ $\left(\frac{7}{48}, \frac{5}{36}\right) \rightarrow \left(\frac{21}{144}, \frac{20}{144}\right) \rightarrow \frac{7}{48} > \frac{5}{36}$
따라서 검은색으로 칠해지는 부분은 전체의 $\frac{7}{48}$인 ㉠입니다.

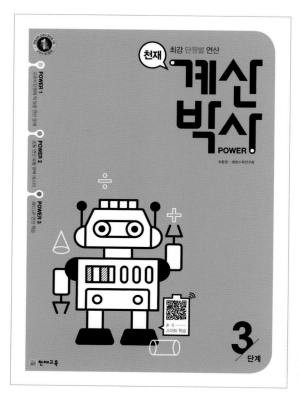

정답은
이안에
있어 !

난이도 별점
쉬움 ★
보통 ★★★
어려움 ★★★★★
최상위 ★★★★★★★

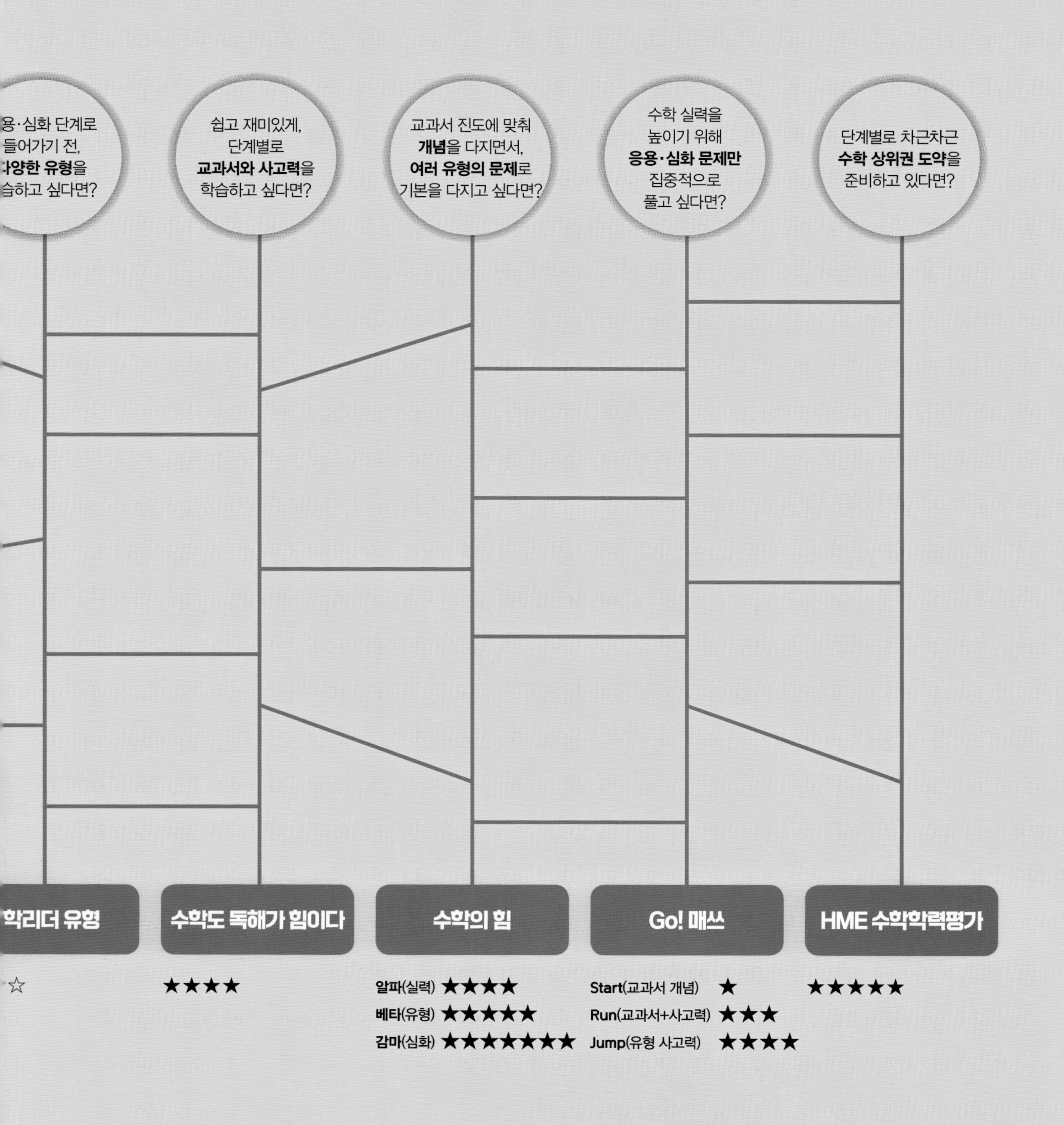
용·심화 단계로
들어가기 전,
다양한 유형을
습하고 싶다면?
쉽고 재미있게,
단계별로
교과서와 사고력을
학습하고 싶다면?
교과서 진도에 맞춰
개념을 다지면서,
여러 유형의 문제로
기본을 다지고 싶다면?
수학 실력을
높이기 위해
응용·심화 문제만
집중적으로
풀고 싶다면?
단계별로 차근차근
수학 상위권 도약을
준비하고 있다면?
학리더 유형
수학도 독해가 힘이다
수학의 힘
Go! 매쓰
HME 수학학력평가

☆

★★★★

알파(실력) ★★★★
베타(유형) ★★★★★
감마(심화) ★★★★★★★

Start(교과서 개념) ★
Run(교과서+사고력) ★★★
Jump(유형 사고력) ★★★★

★★★★★

배움으로 행복한 내일을 꿈꾸는

천재교육 커뮤니티 안내

교재 안내부터 구매까지 한 번에!

천재교육 홈페이지

천재교육 홈페이지에서는 자사가 발행하는 참고서,
교과서에 대한 소개는 물론 도서 구매도 할 수 있습니다.
회원에게 지급되는 별을 모아 다양한 상품 응모에도
도전해 보세요.

구독, 좋아요는 필수! 핵유용 정보 가득한

천재교육 유튜브 <천재TV>

신간에 대한 자세한 정보가 궁금하세요?
참고서를 어떻게 활용해야 할지 고민인가요?
공부 외 다양한 고민을 해결해 줄 채널이 필요한가요?
학생들에게 꼭 필요한 콘텐츠로 가득한 천재TV로 놀러오세요!

다양한 교육 꿀팁에 깜짝 이벤트는 덤!

천재교육 인스타그램

천재교육의 새롭고 중요한 소식을 가장 먼저 접하고 싶다면?
천재교육 인스타그램 팔로우가 필수!
누구보다 빠르고 재미있게 천재교육의 소식을 전달합니다.
깜짝 이벤트도 수시로 진행되니 놓치지 마세요!